Né à Rabat en 1973, l'écrivain marocain Abdellah Taïa a publié, aux Éditions du Seuil, plusieurs romans : *L'Armée du Salut* (2006), *Une mélancolie arabe* (2008), *Le Jour du Roi* (prix de Flore 2010) et *Infidèles* (2012). Son premier long-métrage, *L'Armée du Salut*, d'après son roman éponyme, est sorti en France le 7 mai 2014. Ses livres sont traduits dans plusieurs langues.

Abdellah Taïa

# INFIDÈLES

ROMAN

*Éditions du Seuil*

TEXTE INTÉGRAL

ISBN 978-2-7578-4996-5
(ISBN 978-2-02-108468-9, 1re publication)

*Pour ma mère : M'Barka Allali Bent Mohammed*
*(1932-2010)*

# I. Des soldats

# 1

Personne ne viendra, maman.

Tu le sais, maman. C'est trop tard. Ou bien trop tôt. Ils ne viennent plus ici, les hommes. Tu le sais. Tu le sais. N'est-ce pas que tu le sais ? N'insiste pas. Je ne veux plus. Je ne veux plus de ce rituel. On attend depuis très longtemps. C'est fini. C'est fini. La dernière fois, on est tombés sur un monstre. Il voulait me manger. Il m'a fait des choses bizarres. Je te l'ai dit. Tu t'en souviens ? Non ? Vraiment ? Allez, viens, on rentre. On rentre, maman... On rentre. Les rues sont désertes, personne ne nous verra, ne nous insultera, ne nous jettera des pierres. Et si on crache sur toi, je me battrai pour toi. Je te défendrai. Je ne m'enfuirai pas. J'ai grandi. Je le vois, j'ai grandi. J'ai appris à cracher sur les gens moi aussi. Tout au fond de moi, je n'oublie rien. Je ne cherche pas le mal, mais si on me regarde avec des yeux mauvais, des yeux qui jettent des sorts, je sais désormais quoi faire. Je crache. Je fais face. Je ne baisse pas les yeux. J'affronte. Je crache. Je crache sur tout ce monde qui nous méprise, qui ne te reconnaît pas, maman. Je crache. Je crache. Je crache de tout mon cœur, de toute mon âme. Je crache le plus loin possible, aux pieds de mon agresseur, mon ennemi, le salaud qui ne me lâche pas, qui me poursuit de ses remarques mesquines, de sa morale religieuse de frustré sexuel. Je vise loin, maman. Je vise ce territoire où mon attaque prendra tout son sens. Je renifle bien fort. Je racle le fond de ma gorge. Je fais venir sur ma langue toute la morve à moitié séchée dans mes narines. Je fais remonter les saletés qui se cachent dans mes bronches. Je mélange l'ensemble dans ma bouche avec de la salive. Je prépare une grosse boulette. Je prends mon élan. J'attaque. Je lance mon arme nucléaire. Mon crachat est tellement lourd, tellement sophistiqué, qu'il met un certain temps avant d'atterrir, d'exploser dans la figure de mon ennemi, nos ennemis, maman. C'est comme dans le feuilleton en dessin animé *Le Capitaine Majid*. L'action se passe en ralenti. Mon crachat est suspendu dans l'air un bon moment. Il sera ainsi à jamais. Dans l'air. Une menace sérieuse pour tous ceux qui t'insultent, maman. Je les tuerai tous, je les exploserai tous. Je les pulvériserai. Je les effacerai de cette terre, de ce monde, de cette nuit interminable, juste avec ce qui sort de mon nez.

Ils disent que je suis sale. Que tu es sale. Que je suis le fils d'une femme sale. Le fils de la sale Slima.

Tu n'es pas sale, maman. Ma Slima. Je le sais, moi. Tu n'es pas sale. Je te le jure. Je te le jure.

Tu me crois ?

Il faut que tu me croies.

Je sais vraiment cracher. Tu veux que je te le prouve ? Tu veux ? Je peux. Je peux le faire là, là, maintenant. Cracher jusqu'au poteau électrique là-bas. Tu le veux ? Je peux.

Tu ne dis rien.

Cracher ne fait pas de moi un mauvais garçon. Un mal élevé. Je suis déjà à part. Dès le début à part. Laisse-moi cracher. Laisse-moi te prouver que j'ai grandi. Laisse-moi te montrer comment je peux te protéger.

Regarde-moi. Regarde. Regarde.

Tu ne m'aimes pas comme ça… Ne t'inquiète pas. Je grandis. Mais je ne te renierai jamais. Je comprends. J'accepte. Il n'y a rien à changer. On est comme ça. Tu es comme ça. Maman. Slima. Je suis ton fils. Pour toujours ton fils. Petit, grand, jeune, vieux, je suis ton fils.

Je veux cracher.

Laisse-moi. Laisse-moi.

C'est ce qu'ils méritent tous. Tous.

Je crache sur Samir et sa mère. Je crache sur Hlima et toute sa famille. Je crache sur Youssef, Rachid, Fattah, Salim, et tous les autres. Les copains d'avant. Je crache sur toute l'équipe de football du quartier de l'Oued El-Khanez et sur celle du quartier de Hay Al-Inbiâth. Je crache sur cette ville, Salé, et sur tous ceux qui ne te reconnaissent pas. Je crache même sur l'imam de la mosquée. Je ne l'aime pas. Il est fourbe, lâche, sale, très sale. Je ne veux plus que tu l'acceptes chez nous. Je ne veux plus. Il ne paie pas bien, en plus. Je lui crache sur le visage trois fois, non, cinq fois, ce maudit imam qui ne sait même pas prier comme il faut. Qu'on le renvoie à l'école primaire ! Il est totalement ignorant. Il a besoin de tout réapprendre. Je crache sur lui fort, fort. Je ne veux plus que tu le revoies, maman, plus jamais. On n'a pas besoin de lui, ni de son argent ni de sa religion.

Je crache sur la voisine Aïcha et sa poêle noire qu'elle accroche depuis longtemps à la fenêtre du premier étage de sa maison. De chez nous, on la voit constamment, cette poêle, cette malédiction. Tu m'as expliqué il y a un an le sens de cette poêle, le sens horrible que Aïcha veut donner à ce geste. Par cette poêle noire, tellement noire, elle te dit jour après jour, année après année : « C'est ce que tu vaux, Slima, vieille salope. C'est ce que je te souhaite. Que tu crèves brûlée vive dans cette poêle cramée sur le feu ! Que toi et ton fils alliez très bientôt dans le Noir définitif ! Que vous soyez maudits à jamais dans l'enfer d'ici-bas et celui de l'au-delà… »

Je suis très étonné. Depuis quelques mois, tu ne te bagarres plus avec Aïcha. Tu as renoncé. Pas elle. La poêle noire est toujours là. Insulte permanente. Rappel constant de notre statut ici, dans le quartier de Hay Al-Inbiâth. Pour les dizaines de milliers de gens autour de nous, notre statut de parias, notre sort triste, nous le méritons puisque nous ne faisons rien pour le changer, le casser. Tu seras lapidée un jour, maman, par ceux-là mêmes qui, chaque nuit, viennent discrètement chez nous demander ton pardon, un peu de plaisir.

Tu es morte. Tu n'existes plus. Tu es le mal. Je suis le fils du mal, du péché. C'est comme ça qu'elle m'appelle, la maudite Aïcha. Le « fils du mal ». Elle me dit toujours de m'éloigner de ses deux garçons, de ne pas jouer avec eux, de ne même pas les toucher.

Elle dit : « Ton mal, tu le gardes pour toi et pour ta mère Slima ! » Mais, moi, j'aime ses garçons et, bien avant moi, ils savent tout du mal, ils n'ont pas peur du mal.

Oui, je suis surpris. Tu n'as plus envie de te battre, ni contre Aïcha ni contre aucune autre sorcière. Pourquoi ? Tu peux me le dire ? Pourquoi ? Je grandis. Je suis peut-être encore petit à tes yeux, mais j'ai grandi, maman. Regarde-moi. Regarde-moi. Je peux me battre pour toi. Te venger. Cracher jour et nuit sur Aïcha et toutes les autres, tes ennemies éternelles, comme tu dis souvent.

Tu ne réponds pas. Pourquoi ?

On va attendre ici longtemps ? Jusqu'à quand ? Personne ne va venir. Ils ne viennent plus ici. Ils ne passent plus par ici. Les hommes étrangers ne connaissent plus notre quartier. Ils vont tous maintenant habiter dans le quartier de Hay Salam. C'est là-bas qu'il faudra aller désormais les chercher, les séduire, leur parler, négocier avec eux. Chanter. Danser. Se déshabiller. Tu veux qu'on y aille ? Tu as besoin de mon aide ? Oui ? Non ? Oui ?

Tu ne réponds toujours pas.

J'en ai marre d'attendre. On rentre. On rentre, maman. Je ne sais plus si on est dans le jour ou bien dans la nuit. Je ne sais plus. Je veux cracher, cracher, cracher. Ça monte en moi. Tu ne veux pas, c'est cela ? Maman. Maman, réponds. Réponds. Tu es là avec moi ? Tu es où ?

Le goût pour la vie est en train de partir. Tu le sens, comme moi. Tu le vois, comme moi. Tu ne fais rien pourtant. Tu m'amènes ici et on attend. Mais ils ne viennent plus ici, dans ce hammam. Ils sont tous à Hay Salam à présent. C'est là-bas qu'il faut aller vivre. On doit déménager, s'éloigner de ces gens qui nous connaissent trop, savent tout sur toi, plus que moi, ces gens, ces voisins, qui ne me regardent jamais vraiment, moi. Je n'en peux plus. Allons ailleurs, maman. Allons à Hay Salam tout réinventer. Je suis sûr que les hommes seront plus gentils dans ce quartier. J'en suis certain.

Dis quelque chose.

Tu m'entends ? Tu connais Hay Salam ? C'est le nouveau quartier à la mode à Salé. J'aime déjà ce nom. Hay Salam. Salam. La paix. La paix, enfin, maman. Qu'en penses-tu ?

Dis oui. Ce sera bien. Un monde où on ne te connaît pas encore. Dis oui.

Parle ! Parle !

Je m'en vais. Je ne veux plus attendre ici. Les hommes sont partis. Ils ne veulent plus de moi, ici. Ce hammam est trop noir, trop sale. Il est hanté. Vieux. Les gentils masseurs berbères qui y travaillaient sans arrêt, ils sont tous partis, retournés à leur bled du côté de Taroudannt. Le gardien est tombé malade. Les corps ici ne sont plus comme avant, ils ne parlent plus, ils sont entrés dans la peur et la solitude. Il faut partir, maman. Plus personne ne me voit, ici. En l'espace d'un an seulement je suis passé d'un hammam à l'autre. Celui des femmes ne me manque pas, je t'assure. Pas du tout. C'est juste qu'un an, c'est trop court pour apprendre tout cela, ces choses de l'adolescence, entrer sans transition dans les drames de cet âge. Passer du côté des hommes grands, poilus, terrifiants, rarement doux, n'a pas été simple. Tu me poussais à faire tout cela, à traverser cette frontière, me laisser aller. Je te faisais confiance. On venait ici. On attendait. On trouvait vite, très vite. On avait même l'embarras du choix. Des hommes comme tu les voulais. Dociles. Étrangement timides. Tu les abordais. Tu parlais doucement. Tu as toujours su choisir les bons mots pour les avoir, les adoucir. Les faire plier.

« Monsieur, monsieur, s'il vous plaît, pourrais-je vous confier mon fils ? Le laver avec vous au hammam ? C'est possible ? Il est gentil, mon fils. Et je suis seule, sans homme. Je n'ai que lui, ce petit garçon. Il est bien élevé, vous verrez. C'est possible ? Vous êtes sûr ? Cela ne vous dérange pas ? Tout est dans ce petit sac. Tout. Le shampooing Cadum. Le savon noir. Le *ghassoul*. Le gant pour gratter. La petite serviette. La grande serviette. Les vêtements propres. Et deux mandarines. L'une d'elles est pour vous… Vous êtes sûr que cela ne vous dérange pas ? Sûr ? Très bien. Voici les 5 dirhams pour payer son ticket d'entrée. Tenez. Tenez, s'il vous plaît, monsieur. J'insiste, j'insiste… Vous me rendez déjà service en le prenant avec vous, en vous occupant de lui au hammam. Tenez. Prenez les 5 dirhams. Tenez… »

Ils ne les prenaient jamais. Ils savaient très bien qu'ils allaient être payés autrement, plus tard.

« Venez alors chez moi, après le hammam, manger le couscous. Vous viendrez ? Mon petit garçon vous montrera le chemin. Un couscous… Ce sera la moindre des choses… »

J'ai fait comme tu m'as toujours dit de faire. Mais je ne les ai pas tous aimés, ces hommes que tu choisissais pour moi et, plus tard, pour toi. Au début, je m'en moquais. Plus maintenant. Je crois qu'on a fait le tour des hommes de Hay Al-Inbiâth, maman.

Peut-être que je devrais y aller seul cette fois-ci au hammam. Seul et pour la dernière fois, dans ce hammam.

Je suis grand.

10 ans, c'est grand, non ?

Qu'en penses-tu ?

Tu veux savoir ce qui se passait à l'intérieur avec ces hommes, avant d'arriver chez toi pour le couscous ? Tu veux entrer avec moi cette fois-ci ?

Je te dis tout ?

Tu sais déjà tout des hommes ?

J'en doute, maman, j'en doute.

Laisse-moi. Laisse-moi y aller seul. Les hommes sont tous partis. Ils ont disparu de ce monde, de cette nuit sans frontières. Ils n'existent plus ici, de ce côté-ci, avec nous, pour toi, pour moi. Abandonne, maman.

Va, va, rentre à la maison. Dors. Oublie. Et attends-moi. Je reviendrai neuf à toi, plus fort, plus malin. Je ne serai plus ton fils. Je serai ton frère, ton petit frère.

Depuis le début je suis avec toi sur ce bateau. Je ne te quitterai jamais. Nous irons ensemble jusqu'au bout. Chanter et danser. Aimer et dormir. Manger encore malgré tout. Ensemble jusqu'à Dieu. Jusqu'à la Nuit dernière. Jusqu'au paradis. Nous gravirons les marches du ciel. Je t'aiderai. Je te porterai. Vieille, je serai encore là pour toi. Même rejetée des autres, de tous. Je parlerai à Dieu : Il nous pardonnera. Dieu nous accepte déjà comme on est. Il nous a faits comme ça. Dans cet état. Dans cette situation. Nous acceptons Ses décisions. Nous écoutons Sa voix. Tu L'entends, toi aussi, n'est-ce pas ?

Chaque nuit, Il me dit de veiller sur toi.

Chaque nuit, Dieu nous aime un peu plus.

Les autres nous écrasent, nous empêchent de voir la lumière, nous enferment de plus en plus dans l'enfer qu'ils ont inventé d'abord pour eux. Mais Lui, Dieu, Allah, n'est pas eux, n'est pas à l'image qu'ils se sont faite de Lui. Dieu est en moi. Il est aussi en toi. C'est toi qui me L'as donné, Dieu. Je sais que tu Le donnes aussi aux autres, les hommes qui viennent, qui dorment chez nous, mangent chez nous, se déshabillent et se rhabillent chez nous. C'est toi qui Le vois, plus que moi. Bien plus.

Tu m'entends ?

Tu me comprends ?

Tu es avec moi ?

Rentre à la maison. Commence à préparer le déménagement. On n'emportera que l'essentiel. Nos vêtements. Surtout nos vêtements. Même les plus usés, ceux qu'on devrait jeter à la poubelle, on les prendra avec nous. On les gardera. On ne les donnera ni aux pauvres ni aux étrangers. Nos vêtements, tu me l'as dit un jour, ce sont nos âmes, toutes nos âmes successives, les jeunes comme les vieilles.

Nous garderons nos âmes, maman.

Mets-les dans des sacs verts. Ouvre les fenêtres. Regarde le ciel. Il est noir, mais seulement en apparence. Le ciel n'est pas noir. C'est nous qui voyons noir.

Regarde le ciel longtemps, maman. Il finira par s'ouvrir. Éclater.

J'arrive.

J'arrive.

Je vais rentrer seul dans ce hammam. Pour la première fois. Je vais me déshabiller. Tout enlever. Je serai nu. Nu. NU. Je serai seul et nu. Dans la salle du milieu je me gratterai seul le dos. Je noircirai seul mon corps avec le savon traditionnel. Et j'attendrai que l'Ange sans religion vienne me nettoyer, me donner un souffle nouveau. Me rebaptiser.

Pour la dernière fois j'enlèverai la saleté de mon corps. Ma peau morte. Mes odeurs qui t'indisposent depuis un an. Mes ongles qui poussent trop vite. Sans shampooing je verserai encore et encore de l'eau très chaude sur ma tête. Je n'aurai pas peur. Je cacherai tout au fond de moi mes tremblements. Je les étoufferai. Ce serait désormais indécent de me laisser aller à mes craintes, à mes images horribles. Bientôt, les poils sortiront de mon corps. Petits. Très vite longs. Je connais le processus. Je sais à quel point ce sera rapide. Les poils vont nous faire entrer dans une nouvelle étape, une nouvelle ère, maman.

Tu ne me crois pas ?

Fais un effort. Regarde-moi. Je suis ton fils. Le fils de Slima. Je suis mieux qu'un fils. Tu m'as tout dit. J'ai tout vu. Je connais ton corps par cœur. Je sais comment bouge ta peau, comme elle change. Tes voix me sont familières. Tes anges. Tes djinns sont mes amis.

Tu dois me laisser aller. Entrer seul dans ce hammam vide. Attraper la mort et la vie. Sortir de l'enfance. Et, toujours, toujours, être avec toi, à tes côtés.

Je le promets. Je le jure.

Tu n'as que moi, maman.

Je n'ai que toi, Slima.

Autre, je serai à jamais à toi.

Ils passeront. Ils ne feront que passer. Des hommes de tous les âges. Des sorciers. Des méchants. Des amis. Des parents. Des policiers. Des politiciens. Des fous. Ils finissent tous par repartir. La liberté à tes côtés ne leur convient pas. Elle leur fait peur. Ils ne savent pas jouer. Ils ne veulent plus se laisser aller. Ils ne m'aiment pas. À part le muezzin et le fonctionnaire de la poste, aucun d'eux ne m'a jamais regardé.

Il faut partir. Maman. Maman Slima. On doit quitter ce monde.

Le quartier de Hay Salam n'est pas très loin. Mais c'est un autre ciel, là-bas. Un autre air.

Les hommes sont nouveaux.

Le marché des légumes a lieu tous les jours.

Notre passé n'existera pas, à Hay Salam. On l'écrira comme on voudra. Une autre fiction.

Notre hammam portera ce nom : Hammam Al-Baraka. Il vient d'ouvrir. Il existe. On y trouve même une partie plus ou moins secrète : le hammam familial. Toute la famille nue, sans honte, réunie pour changer de peau, et même de sexe. Un hammam où on pourra aller tous les deux. Avec la bénédiction de tout le monde. Toi et moi. Nous sommes une famille. Rien que toi et moi. On a enfin importé cette tradition ici. On me dit que cela existe ailleurs, depuis longtemps. À Fès. À Ouazzane. À Meknès. C'est vrai, maman ? Tu le sais, toi, non ? Cela existait-il aussi dans ton premier pays, Rhamna ? Oui ? Non ?

Tu ne veux pas répondre.

Tu t'obstines.

Tu ne veux pas laisser tomber tes clients. Tu ne veux pas errer de nouveau. Tout recommencer. Avoir faim. Faire la manche. Faire la bonne chez les riches, les bourgeoises impitoyables.

Je te le promets. Cela n'arrivera pas. Plus. Je suis là. Hay Salam est riche. Tu n'auras plus à souffrir de la concurrence. On n'aura plus d'ennemies. Aïcha et sa poêle noire seront juste un mauvais souvenir. Et c'est tout. Je grandirai plus libre. Je cracherai ailleurs. Jamais devant toi. Je te dois ce respect.

Tu es encore jeune.

Tu es belle.

C'est ton destin.

Notre destin.

Je le sais. Je le vois, ce destin. Je dois te l'imposer. Je n'ai que 10 ans. J'ai déjà beaucoup vécu avec toi, à tes côtés. Tes bruits. Nos rituels. Je n'ai pas que 10 ans. Je vais parler désormais. Je poserai des questions. Tu ne seras jamais obligée d'y répondre.

Rentre. Rentre, maman.

Bois un verre de vin si tu veux. Cela te donnera du courage. Te réchauffera. T'aidera à m'écouter enfin, à me comprendre. Me libérer. Me considérer pour ce que je suis.

Je viens d'avoir 10 ans.

L'âge d'homme est là.

C'est comme dans les histoires des films égyptiens qui passent à la télévision. Mais c'est la réalité. La réalité marocaine. Dure. Amère. Impitoyable.

10 ans, maman. Homme, maman.

On ne me pardonnera plus rien. On ne dira plus : « Ce n'est pas de sa faute ! »

Les jugements ne font que commencer. Tu ne pourras plus me protéger. Crier pour moi. Te disputer avec les autres pour me sauver. Donner et prendre des coups à ma place.

C'est fini.

J'ai l'âge d'homme.

Je dois parler. Négocier. Trafiquer. Les embobiner. Les charmer. Détourner leur attention. Les voler. Les sucer, peut-être. Leur donner mon derrière parfois s'il le faut. Cacher ma pureté, mon Dieu. Taire notre lien secret. Qui tu es. Qui je suis. Notre chemin dans l'ombre. Notre projet. Le voyage nocturne.

Je vais faire tout cela, maman.

C'est moi l'homme désormais.

J'ai un sexe d'homme. Il se révèle. Il avance. Il n'a plus peur.

Cette nuit, les poils sortiront de moi en abondance. Mon odeur changera. Mon haleine aussi. Mes petits seins durciront. Et je transpirerai davantage. Plus que jamais. Plus que toi. Hiver comme été.

Rentre, maman Slima. Rentre.

C'est encore la nuit. La Nuit. On peut partir en douce. Ils n'en sauront rien. Rentre. Rentre.

C'est un ordre.

Je veux continuer à rire de temps en temps. Avec toi. Malgré les autres.

Je dois faire face.

Je dois aller à ce cauchemar. Au hammam. Seul. Seul.

Rentre.

S'il te plaît.

Rentre.

Prépare nos valises.

C'est moi qui les porterai.

C'est moi qui te prendrai la main.

Rentre.

J'arrive.

J'en ai pour une heure. Pas plus.

Une heure pour me redécouvrir.

Une heure pour Lui parler d'homme à homme.

Rentre.

Je viens.

Il ne sera jamais tard.

# 2

Je vais mourir, ma fille. Ma petite Slima.

Je pars.

Écoute-moi. Je suis ta mère. Apprends par cœur tout ce qui sort de ma bouche.

Mes mots valent de l'or, maintenant.

Je n'ai plus le temps. Il est en chemin. Il descend. Je Le vois.

Écoute-moi, Slima, ma petite fille, ma chair, mon héritage, ma lumière, mon dernier souvenir. Écoute… Écoute…

J'ai encore en moi un petit bout de force pour te dire ce que j'ai à te dire.

Va me chercher à boire. Un grand verre d'eau. Et mets dedans une feuille de menthe. Deux feuilles. Va. Cours.

Je continuerai à parler seule en t'attendant.

S'il Te plaît, ralentis un peu, va ailleurs prendre d'autres âmes. Accorde-moi encore une heure, juste une petite heure. Je dois parler à ma fille, lui transmettre mon savoir, lui révéler tous mes secrets. Je l'ai protégée longtemps, ma petite fille chérie. Je l'ai recueillie, sauvée de la rue et de ses dangers.

J'ai pensé pouvoir lui trouver un autre destin que le mien, un autre métier, un autre avenir. Mais le temps est passé vite, très vite, trop vite. Je suis vieille. Suffisamment vieille pour partir, traverser le fleuve, Lui donner ma main. Je n'ai rien vu venir. J'ai vieilli d'un coup. Comme ça. Toute la force est partie un matin d'été. La veille, je courais les rues et montais sans problème les escaliers. Je mangeais salé, sucré, épicé, de tout. Et un matin, tout s'est arrêté. Tout s'est fermé en moi. Je n'ai vraiment rien vu venir. Je guidais le monde, le temps. Je suis à présent au fond de ce temps. Et je joue malgré moi avec un serpent. C'est lui qui va me prendre. C'est Ton messager. Mais pourquoi un serpent ? Pourquoi pas un ange doux avec des ailes ? Tu n'y peux rien ? C'est tout ce que Tu as en ce moment sous la main ? Un serpent pour dire au revoir, couper le lien ?

J'ai peur.

Tu es revenue, Slima.

Laisse-moi te regarder un instant. Tu n'es plus une petite fille. Tu es en train de devenir une femme. Tu as grandi. Tu me dépasses par la taille, maintenant. Et tant mieux.

Donne-moi à boire. Il n'y a que cela qui me fasse encore envie. L'eau. Et ces petites feuilles de menthe poivrée dedans. Le goût du paradis.

Donne. Je ne prendrai finalement que cela avec moi. Je veux partir lavée, pure de l'intérieur.

Tu me crois, ma fille ? Tu crois que j'ai été pure ? Tu ne sais pas…

Le monde m'a toujours donné une autre image de moi-même. Je suis perverse. La vieille perverse dont tout le monde a besoin. Un peu sorcière. Un peu médecin. Un peu pute. La spécialiste du sexe.

Ils sont tous venus vers moi pour que je les aide et ils m'ont tous reniée. C'est comme ça. Je le sais depuis le début. L'ingratitude est la première qualité des hommes. Et des femmes. Je suis quand même un peu surprise. Ils se sont tous écartés de mon chemin. D'un seul coup. Ils ont dit que je n'étais plus une bonne musulmane. Qu'est-ce qu'ils en savent ? L'islam, je le connais mieux que tout le monde. Dieu, je Lui parle directement, pas besoin d'intermédiaire. Eux, ils ne connaissent rien à rien.

Ils m'ont tous laissée tomber. Et j'ai été plusieurs années comme ça, en attente, dans une très grande solitude. Dans mon propre pays, ma propre région, Tadla à côté de la ville de Beni Mellal, et en exil.

Contrairement à ce qu'ils disaient, je n'étais pas vraiment vieille quand je suis partie. J'avais à peine une quarantaine d'années.

J'en ai eu marre de l'hostilité et du rejet qu'on m'infligeait sans cesse. J'ai tout vendu. J'ai quitté le pays. Je suis allée d'abord à Casablanca, chez ma demi-sœur El-Batoule. Mais elle venait de se marier, pour la dixième fois. Son nouveau mari ne savait rien à l'époque de mon passé, ni de son passé à elle. Elle essayait de se reconvertir en bonne femme soumise. Je n'avais pas le droit de faire échouer son plan, faire fuir ce mari rare et qui, paraît-il, était lui aussi un bon musulman bien comme il faut. J'ai donc renoncé. Elle m'a fait comprendre qu'elle ne pouvait pas me recevoir. J'ai compris. Et au lieu d'aller au nord, comme je l'avais planifié, je me suis dirigée vers le sud. Je suis venue ici à Rhamna. Marrakech n'est pas loin. Tu le sais ça, non ? C'est seulement à cinquante kilomètres d'ici.

Je ne connaissais personne à Rhamna. Alors j'ai fait ce que je sais faire de mieux : me réfugier chez un saint protecteur.

Je suis allée au mausolée du saint de la région. Un des nombreux saints. Il y en a plein ici. Je suis allée au premier qui s'est présenté sur ma route. En descendant du car, j'étais morte de fatigue. Dégoûtée des autres. De tout, en fait. Mais la vie en moi voulait encore s'exprimer, continuer à travers mon corps délaissé. Je me suis allongée, comme toutes les femmes abandonnées dans ce pays, à côté du tombeau du saint. Notre Protecteur. La paix s'est emparée de moi immédiatement. Je me suis allégée instantanément. J'ai voyagé.

Le jour était devenu la nuit.

Je dormais et je ne dormais pas.

Je lui ai tout dit. Il est là pour ça, notre saint. Recueillir les paroles des gens comme moi, des femmes rejetées comme moi.

Je n'ai rien choisi, moi. Ce destin, je m'y suis trouvée. Je n'ai fait que l'assumer. On m'a poussée vers ça, vers ce métier d'un autre temps. Je suis peut-être une des dernières représentantes de ce genre de femmes qui aident, la première nuit, les couples à s'unir. Après moi, il n'y aura que toi, ma fille.

Il m'a écoutée dire et redire mille fois la même chose, la même histoire. Ma vie dont plus personne ne voulait. Mon corps desséché. Mes mains qui savaient encore guider, prendre, et qui ne trouvaient plus rien à prendre. Mon savoir. Mes chants. Mes rituels. Tout allait se perdre. Disparaître à jamais. C'était la deuxième mort. La plus atroce. La plus insupportable. Et il était hors de question de l'accepter. De me soumettre une deuxième fois à ce destin cruel. Je n'avais rien décidé et, pourtant, j'avais tout assumé, tout accepté. Je voulais honorer encore ce contrat. Rester fidèle jusqu'au bout à mon histoire, à ce qui avait fait de moi une paria. Une femme tellement sollicitée, utile, et à présent une ombre, la honte, la saleté.

Je voulais encore vivre. Malgré la cruauté des autres, je voulais continuer à respirer, à marcher, à manger, à dévorer, à jeter des sorts. Apprendre aux hommes comment bien utiliser leur sexe. Révéler aux femmes les techniques du plaisir. Les secrets de leur vagin. J'étais douée pour cela, pour cette science. Je ne m'étais pas forcée. On m'avait poussée vers ce métier, c'est vrai, mais tout était déjà en moi. La science du sexe, des sexes. Le chemin vers le plaisir. La rencontre. Un corps dans l'autre. Un sexe dans l'autre. Profondément l'un dans l'autre.

Les hommes ne savent rien.

Les femmes ont peur.

Il faut que tu le saches, ma fille Slima.

Lui, le saint, bien sûr, il ne le savait que trop bien. Il comprenait mon agitation, mon désarroi. Il voyait la vie en moi encore palpitante, sauvage. La vie forte dans mon corps de vieille. Il voyait au-delà de moi, bien au-delà du masque que j'ai été obligée de porter pour qu'on me laisse un peu tranquille, qu'on m'accorde un peu la paix.

La « mauvaise femme ». C'est comme ça qu'on m'appelait.

Le saint, cette nuit-là, m'a dit que je ne l'étais pas.

Il l'a répété trois fois.

« Tu n'es pas une mauvaise femme.

Tu n'es pas une mauvaise femme.

Tu n'es pas une mauvaise femme. »

Il s'est relevé de sa tombe.

Il s'est allongé à côté de moi.

Il me tenait la main. Et il me parlait.

« La nuit ne se terminera jamais. Je t'offre une petite lumière pour tes dernières années. Un enfant qui sera ton miroir, ta canne, tes pieds, ton portrait craché. Ton sang. Mieux que ton sang. Une fidèle. Ta religion. Votre religion rien qu'à vous deux.

Dors. Dors. La nuit est encore longue. Le vent de l'est, le chergui, est infernal, il continuera encore longtemps à souffler, à troubler le monde.

Dors. Je ne te lâcherai plus la main. »

Les paroles du saint sont encore vives en moi. Je suis en train de mourir et je les entends encore. Je pars et sa voix me revient, belle, pure, accueillante.

Il a été le seul à m'aider à dormir autrement. À ne pas me juger.

Il m'a fait voir son cœur.

Quand je me suis réveillée, tu étais assise à côté de moi. Une petite fille de 5 ans, 6 ans peut-être. Tu me regardais.

C'était toi, la lumière.

Je n'avais pas rêvé. La nuit n'est pas faite pour les rêves. La nuit, c'est pour enfin trouver la vérité. Tout décider. Tout exécuter. Aller seule à son destin. En revenir la même, mais autre.

Je suis revenue à moi.

Je ne connaissais personne à Rhamna. Je n'aimais que deux choses dans ce bled : la terre rouge, du sang mélangé avec de la poussière, et le saint qui m'avait parlé.

J'allais sans direction. Je me suis retrouvée dans le noir. J'ai communié. Je me suis libérée sans renoncer à rien. Et tu es arrivée.

Je ne sais rien de toi, ma fille.

Ma vie a été prolongée grâce à toi.

La tienne est liée à jamais à la mienne.

Je vais partir. Dans un instant, ce sera la fin. Mais je sais que je vais continuer par toi, à travers toi. Tu ne me crois pas ? Ce n'est pas grave. Tu verras plus tard. Quelques mois seulement après mon départ, tout de moi te reviendra, t'obsédera. Mes gestes. Mes voix. Mes névroses. Mes tics. Mes mains qui redessinent le monde. Mon souffle court. Mes danses folles. Même ma vulgarité, mes mots sales te reviendront. Tous les jours. Juste avant de dormir. Tu ne seras toi qu'à travers ces souvenirs de moi inscrits dans ta mémoire et ton corps malgré toi. Tu verras. Tu découvriras que tu avais seulement oublié. Rien ne part définitivement. Tu vivras, ma fille. Tu seras comme moi. Tu vivras pour nous deux. Femme. Deux femmes en une seule. Tu goûteras enfin à mon sang. Tu le reconnaîtras. Il circulera en toi. Ta première mère t'a laissée, abandonnée au mausolée du saint. Tu avais à peine 6 mois. Ce sont les visiteurs successifs de ce lieu sacré qui se sont occupés de toi. Le saint l'avait ordonné. Tu avais 6 ans quand il m'a choisie comme ta deuxième mère, ta vraie mère. Il m'a sauvée. Tu m'as sauvée.

Je t'ai toujours tout dit. Ou presque.

Tu ne parlais pas. Tu ne parles toujours pas. Mais ta tendresse pour moi ne s'est jamais tarie. Tu m'as adoptée plus que je ne t'ai adoptée. Mon mauvais caractère n'est jamais parti. Tu l'as supporté sans protester. Je t'ai empêchée d'aller à l'école. Tu l'as accepté. Depuis que tu as 7 ans, c'est toi qui t'occupes de cette maison. Tu nettoies, tu laves, tu passes la serpillière, tu dépoussières, tu astiques tous les murs, tous les coins. Je ne sais pas qui t'a donné cette obsession du propre, ce goût invraisemblable que tu as pour l'eau de Javel. Pas moi. Sûrement pas moi. Tu as fait le marché tous les jours. Tu as cuisiné. Et quand il fallait disparaître, tu disparaissais. Tu savais que les clients n'aimaient pas te voir. Tu montais sur la terrasse et tu regardais le ciel. Je le sais. Je t'ai surprise je ne sais combien de fois en train de t'unir avec lui. Tu volais, ma fille, tu volais. Je te le jure. Le ciel t'aimait. Bien plus que moi, peut-être. Mieux que moi.

Tu ne parles pas, Slima.

Tu ne parleras jamais, je crois.

Écoute mes dernières paroles, alors. Mes derniers secrets. Apprends par cœur tout ce qui va sortir de ma bouche maintenant. Ouvre tes oreilles. Ta mémoire. Ta peau.

L'or. Les bijoux d'abord.

À côté de Casablanca il y a une ville qui s'appelle Azemmour. Petite. Pauvre. Incroyablement belle. J'y ai vécu un peu plus d'un an. C'était quand déjà ? Je perds la mémoire. Ah ! voilà, cela me revient. Après que ma sœur a refusé de m'accueillir avec son mari à Casablanca, c'est là que je suis allée d'abord. J'y ai vécu un grand bonheur et une grande tragédie. Je te raconterai. Je te raconterai cela un peu plus tard. Retiens bien le nom de cette ville. Azemmour. C'est là que tu iras demain, après-demain au plus tard. C'est là que tu m'enterreras. Tu comprends ? Tu dois le faire. Enterrer mon corps dans le cimetière de cette ville, à côté du mausolée du saint Moulay Bouchaïb. Pas ailleurs.

Tu le promets ?

Jure-le. Jure-le, ma fille. Ma petite Slima. Mon amour. Donne-moi la main. Mets l'autre sur ton cœur.

Jure maintenant.

Je n'aime au fond que cette ville, Azemmour, ce saint, Sidi Moulay Bouchaïb, et le fleuve qui dialogue avec eux. Ce fleuve porte un nom magnifique. Oum Rbii. La Mère du Printemps. Azemmour, c'est l'embouchure de ce fleuve qui passe par la terre où je suis née, où j'ai grandi, Tadla à côté de Beni Mellal. Azemmour, c'est cette eau-*baraka* qui rencontre celle d'avant, de toujours : l'Océan, d'où tout sur cette terre vient.

Ma fille. Je veux que tu vives là-bas. Que tu boives cette eau. Que tu nages dans le Oum Rbii. Que tu retrouves mes traces. Que tu continues mon histoire. Que tu me rendes justice. Je ne suis pas une mauvaise femme.

N'est-ce pas ?

N'est-ce pas, ma petite fille tendre ?

À Azemmour, tu seras inconnue, étrangère, comme je l'ai été moi aussi au départ. Tu inventeras ta liberté. Ils n'oseront pas cracher sur toi.

Tu as 16 ans, Slima.

Il est temps que je parte.

Il est temps que tu fuies.

Là-bas, dans le cimetière de Moulay Bouchaïb, tu construiras une jolie tombe pour moi. Une tombe rouge. Ils vont te dire que cela est interdit, contraire à notre religion. Ne les écoute pas. Ne les écoute surtout pas. Je veux une tombe simple, pauvre, sans artifice, sans marbre, sans décorations. Mais je veux qu'elle soit rouge.

C'est très important, ma fille. Rouge. Rouge comme la terre de Rhamna.

Remets ta main sur ton cœur.

Quarante jours après ma mort, tu construiras cette tombe, ce petit mausolée. Pendant la nuit. N'oublie pas. De nuit. Tu trouveras un gentil petit maçon. Jeune. Et qui sache lire et écrire. Promets-lui ce qu'il voudra : le plaisir, le délire des sens, l'extase. Tu le dirigeras. Qu'il exécute tes ordres, mes ordres, à la lettre.

Une tombe simple. Je le répète. Simple. Rouge.

Tu lui demanderas d'écrire mon nom : Saâdia Tadlaoui. Mon âge : 80 ans. Je crois. L'année de ma mort : 1970. La saison de ma mort : l'été. Mon métier : introductrice.

1970. L'été. Le rouge. Retiens bien cette date, ces trois indications. Nous sommes en 1970. L'été est en train de tout brûler. Le rouge est notre couleur définitive.

Je ne veux rien de plus durant cette cérémonie. Ce retour. Ni prières ni rien. Je veux juste ton cœur qui me portera encore en lui, fort et tendre. Ni versets coraniques ni poèmes arabes. Rien. Rien d'autre.

Je veux aller au ciel vierge. Avec un prénom que je me suis donné moi-même. Saâdia. Avec le nom de famille de l'homme que j'ai le plus aimé au bled, à Tadla, et qui n'a jamais voulu de moi. Se marier avec moi. Pour sa famille, je ne pouvais être qu'une mauvaise femme. La femme mauvaise. Éternellement. Il n'a pas pu aller contre sa famille. Il s'est révélé faible, craintif, passif malgré son sexe digne de celui d'un âne. Je suis partie sans rien réclamer, sans le diminuer, le blesser. Je l'aimais sincèrement, au fond. J'ai pris son nom. Tadlaoui. De Tadla. Notre terre à lui et moi.

Je me suis donnée à lui. Je me suis ouverte à lui. Corps. Cœur. Âme. Tout en moi est à lui. Vivant. Mort. Je veux rencontrer Dieu et retrouver l'homme aimé comme je le souhaite moi, pas comme les autres décideront.

C'est pour cela qu'il est important que tu fasses tout cela de nuit. Durant trois nuits.

La première pour la construction de ma tombe.

La deuxième pour écrire, graver mon nom, mon livre.

La dernière nuit, tu reviendras seule. Le ciment sur la tombe aura séché. Le nom et l'histoire seront fixés pour toujours. Et tu pourras enfin peindre la tombe en rouge. Me peindre en rouge.

Tu passeras cette troisième nuit à côté de moi. Ne dors pas. Ne dors surtout pas. À un moment donné quelque chose te sera révélé. Une autre tombe rouge. Aujourd'hui, cette tombe n'est plus rouge. Elle le redeviendra durant cette troisième nuit. Je ne sais pas quand exactement. Alors, ne dors pas cette nuit-là. Ne dors pas. Cette tombe ne sera pas éloignée de la mienne. Elle retrouvera sa couleur durant à peine quinze minutes. Pas plus. C'est ce qu'on m'a dit. Et tu dois me croire. Tu n'as pas le choix, de toute façon.

L'autre tombe rouge brillera.

Tu iras vers elle, vite.

Tu creuseras. Avec tes mains. Doucement.

C'est là que j'ai caché l'or, mes bijoux. Mon trésor. Mon héritage.

C'est là que j'ai enterré ton petit frère.

Tu as eu un frère, ma fille Slima.

Je comprends que tu sois choquée par cette nouvelle. C'est ton droit.

Il avait à peine 2 mois quand il est mort.

Je l'ai eu bien avant de te rencontrer à Rhamna.

Je l'avais dans mon ventre quand j'ai quitté mon pays de Tadla. Mais je ne le savais pas. Il est le fruit de l'amour que j'ai vécu avec l'homme de Tadla et qui n'a pas voulu se marier avec moi. C'est lui le père. Pas un autre homme. Tu me crois ?

J'avais à peu près 40 ans. Je me suis rendu compte que j'étais enceinte en arrivant à Azemmour. J'étais plus que surprise. Avoir un enfant à 40 ans ? Est-ce possible ? Je ne connaissais aucune autre femme qui avait enfanté à cet âge. Un miracle ! À l'époque, à 40 ans, on était déjà considérée comme une vieille, une bonne à rien.

Ma sœur avait refusé de m'accueillir à Casablanca. Il fallait que j'aille ailleurs. Où ? Mes pieds m'ont guidée à Azemmour.

Je me suis cachée un peu plus d'un an dans cette ville. Le temps de mener à terme ma grossesse. J'aurais pu avorter. Je sais comment faire. J'ai aidé tant de femmes à faire cela. Mais je ne voulais pas. Cet enfant était le fruit de l'amour. Il venait de l'homme que j'aimais passionnément, follement encore. Il fallait le garder.

Azemmour m'a accueillie sans me juger, sans me traiter comme une mécréante.

Azemmour est un territoire à part. Une cité d'un autre temps. Libre et sauvage. J'ai pu y donner la vie. Un enfant. Un garçon. Lui sourire. Lui donner le sein. Le laver. Le garder au chaud. Le calmer. Le rassurer. Lui apprendre les petites choses.

Mais cela a duré peu de temps.

Je dormais. Trop. C'était l'hiver. J'étais au-delà de la fatigue. J'ai dormi bien plus qu'il ne fallait. Un matin, quand je me suis réveillée, il ne respirait plus. Le petit bébé, ton frère, ne respirait plus. Son corps était froid. Ses yeux, ouverts, plus grands que d'habitude.

Je n'ai pas pleuré. Ne me juge pas, s'il te plaît.

J'étais comme soulagée.

Il avait compris de lui-même, le petit enfant. Le monde lui faisait déjà mal. Même moi je l'avais sans le vouloir abandonné, tué.

Je ne l'ai dit à personne.

On ne me connaissait pas vraiment à Azemmour.

Je l'ai enterré toute seule au cimetière du saint Moulay Bouchaïb. Je n'ai pas prié pour lui. Quelque part j'étais convaincue moi aussi à l'époque que je vivais dans le péché. Ce fils, né hors mariage, était le fils du péché. On allait tôt ou tard le lui cracher au visage, lui pourrir la vie avec cette insulte, cette vérité étroite.

Je ne lui avais même pas encore donné de prénom.

Dieu ne l'aimait pas. J'en étais sûre.

Je l'ai confié à la Vie. À la Nature. Le Monde après le monde. Les étoiles noires, mortes et tellement brillantes.

Je l'ai mis dans la terre sans linceul. Je l'ai déposé dans sa tombe avec ses vêtements de bébé portant encore ma trace, ma transpiration, le lait de mes seins séché. C'était tout ce que je pouvais lui donner. Ce qui était moi. Une femme indigne. Une mère quand même.

Ne me juge pas, ma petite fille.

C'était la nuit. Je ne pouvais faire cela que de nuit.

J'ai creusé avec mes mains. Il était tellement petit. Sa tombe a été facile à fabriquer.

Je l'ai déposé dans ce trou accueillant.

Les larmes allaient venir. Pour les éloigner, j'ai chanté. Une chanson berbère que je ne comprenais pas et qui me venait d'ailleurs, une autre vie à la montagne dont je ne me souvenais plus.

Il était mort. Mais j'étais sûre qu'il m'entendait, m'écoutait.

Je n'avais jamais chanté pour lui auparavant. C'était la première et la dernière fois.

Une berceuse nocturne.

Les mots en berbère ramenaient le bébé à des ancêtres dont j'ignorais tout et qui allaient désormais tout lui apprendre. Le guider. S'occuper de lui à ma place. Le guérir. L'aimer. Lui parler dans la première langue. Le berbère. Perdu. Oublié. Négligé. Écrasé. Caché. Mais toujours vrai.

Avant l'Arabe il y a le Berbère. Avant le Maroc, il y a l'Amazigh.

Je ne me souviens pas de l'avoir couvert de terre, le petit bébé. J'étais absente quand cela s'est passé. Ce n'est pas moi qui l'ai fait. J'en suis sûre. Sûre.

Quarante jours plus tard, je suis revenue au cimetière de nuit. J'ai construit la tombe moi-même. Et je l'ai peinte de couleur rouge.

Je n'ai rien écrit sur la pierre tombale. Je suis analphabète, ma fille. Et mon bébé n'avait pas de prénom. D'où l'idée de distinguer sa tombe des autres par le rouge.

Tu verras, ma fille. Quand le rouge reviendra à cette petite tombe, tu seras surprise et émue. Tu comprendras. Tu iras naturellement vers elle et tu chanteras, pour le petit frère que tu n'as jamais connu, la même chanson berbère que moi. Tu ne la connais pas. Je ne te l'ai jamais apprise. Devant le petit mausolée, de nouveau vivant, le bébé te soufflera les paroles et t'indiquera où j'ai exactement caché le trésor. À côté de son corps. Du côté droit.

Tu l'écouteras, Slima.

Tu suivras ses ordres, ma fille.

Et, pour une fois, tu ouvriras la bouche. Tu parleras. Non. Tu chanteras. Tu passeras par le même chemin, la même langue que lui, que moi, que nous tous.

Berbères. C'est ce que nous sommes. Berbères. Tu verras. Tu te réveilleras. Berbères depuis toujours et pour toujours.

Tu auras deux tombes à Azemmour. Et il y aura le saint. Sidi Moulay Bouchaïb.

Ce sera ta famille. Agrandie.

N'oublie pas de t'occuper de nous.

N'oublie pas le saint. Rends-lui visite au moins une fois par saison. Donne aux pauvres. Aux femmes déshonorées.

Le petit trésor que je te laisse n'est pas énorme. Une ceinture. Dix louises. Une chaîne et sa *khamssa*. Tout est en or. Fais-en ce que tu veux. Cela t'aidera à t'installer, à acheter une petite maison dans la vieille ville. Tu seras protégée un moment. Un an. Deux ans peut-être.

Tu as maintenant 16 ans.

Tu auras vite 18 ans.

Tu n'es pas belle.

À Azemmour tu le seras.

Je ne veux pas que tu deviennes une petite bonne, une esclave, une mendiante. Tu n'auras pas besoin d'eux. Les autres. Ils viendront jusqu'à toi. Ils chercheront ton savoir, tes gestes, ta bénédiction. Aucun mariage ne se fera sans toi, ma fille.

Tu seras, comme moi, introductrice.

Tu seras, comme moi, libre.

Une reine. Pas aux yeux des autres, qui, ignorants, te considéreront toujours comme une prostituée. Une reine parce que c'est toi qui l'auras décidé.

Tu feras comme moi. Tu aideras les hommes et les femmes. Tu les feras se rencontrer enfin. Tu les introduiras l'un dans l'autre.

Je te l'ai dit tout à l'heure.

Les hommes ne savent rien.

Les femmes ont peur. On fait tout pour les garder ainsi. Soumises. Peureuses. Bien comme il faut.

Tu feras du bien, ma fille. Ils te donneront de l'argent, te souriront, et, dès que tu seras partie, ils te maudiront.

Ce n'est pas grave.

Ce n'est pas du tout grave.

Je ne mourrai pas. Par toi je continuerai à circuler ici-bas.

Tu prendras les zobs dans tes mains. Tu ouvriras les vagins grand.

Et, pour cela, il faudra que tu parles.

Voilà comment j'ai fait.

Voilà comment tu feras.

Tu seras la seule personne admise dans la chambre des mariés. C'est la nuit de noces. À l'extérieur tout le monde est à la fête. On danse, on boit, on chante, on entre en transe facilement. Tout est débordement. Presque personne au sein des deux familles ne sait que tu es là, sur le même lit que le couple qui s'apprête à s'unir. C'est toi qui vas les unir. Mettre un sexe dans l'autre. Pour la première fois. Lui, il n'arrivera pas à bander. Elle… elle sera pétrifiée et elle ne voudra pas enlever ses vêtements. Tu devras exciter le premier par les mots sales, sauvages, de la rue. Et tu seras obligée d'enlever toi-même à la mariée ses habits. Tu seras douce, violente. Tu devras faire vite. Les mères des mariés, derrière la porte, attendent, anxieuses. Elles ne chantent pas. Elles prient.

La mariée doit être vierge. C'est ainsi. Ce n'est pas le moment de discuter. Ce n'est pas ton rôle de remettre cela en question. Le sang doit couler.

On n'attend que cela. La preuve de cette pureté fictive.

C'est ta responsabilité.

Tu devras tricher. Demander au mari de fermer les yeux. Lui expliquer ce qui est réellement important. Lui promettre mille plaisirs. Ce n'est pas la fin du monde. Le sang peut couler de partout. La cuisse, le bras. Les mollets. Il faut se préparer à tricher, sans hésiter. Et, presque tout le temps, tu auras à le faire.

Tu défendras d'abord tes sœurs, les femmes. Même quand elles te déclareront la guerre, ne les trahis pas pendant la nuit de noces. La plupart d'entre elles arrivent à ce moment sans être vierges. C'est comme ça. C'est à toi de faire en sorte que le sang surgisse, atterrisse sur le drap blanc que l'on exhibera fièrement devant les amis et les ennemis. Le monde, tu verras, tu le sais déjà, ne peut pas tourner si on ne donne pas à la terre entière la preuve illusoire que les femmes sont fidèles, qu'elles sont décervelées, des petites choses dociles qui ne s'appartiendront jamais.

Tu les porteras, ces femmes. Tu les soutiendras. Tu leur pardonneras leur cruauté facile à ton égard. Durant cette nuit interminable de noces, tu es leur confidente, leur puits, leur lien secret avec l'invisible. Leur avocate. Leur maîtresse tendre. Leur âme libre. Leur corps un jour épanoui.

Les femmes sont cruelles. Je le sais. Je ne le sais que trop bien. Elles ne m'ont jamais aimée. Je les ai aidées tant et tant de fois. Elles m'ont toujours tourné le dos, ignorée, insultée même.

Ce n'est pas grave. C'est ainsi. Toi, tu seras libre. Toi, tu seras au-dessus d'elles. Tu seras comme moi.

Moi. Introductrice. L'Introductrice. Maudite. Tellement sollicitée.

Les hommes n'arrivent jamais à bander cette nuit-là. Ne t'inquiète surtout pas. Je te donne une technique simple et efficace pour les aider à avoir l'érection plus que nécessaire pour réussir dans ta mission. Si les mots sexuels ne suffisent pas, si tes yeux et tes fesses ne servent à rien, alors, ma fille courageuse, sans rien lui demander, tu mettras un doigt dans le trou du cul du marié.

Tu verras, il ne sera pas surpris.

Ils aiment ça, les hommes. Qu'on les traite autrement. Qu'on inverse, sans paroles, les rôles. Ils aiment le trou du cul, le leur, celui des autres. Ils ont l'habitude de parler aux fesses des autres… des autres hommes, des autres petits garçons.

N'aie pas peur. Enfonce bien le doigt dans le cul. L'homme bandera aussitôt. Ressors alors doucement ce doigt et joue avec les bords du trou du cul durant une petite minute. Je te préviens : pas plus d'une minute. Le plaisir qu'éprouvent certains à ce petit jeu est tel qu'ils peuvent facilement tomber dans les pommes. Évite autant que possible cela. Si tu vois que l'homme est en train de partir, gifle-le sur les deux joues et invite-le à accomplir son devoir : « Sidi, c'est à vous, le chemin est par là. Le jardin parfumé n'attend plus que vous. »

Tu dois me trouver vulgaire. Je ne fais pourtant qu'appeler les choses par leur nom. Je ne veux pas perdre mon temps. Je n'en ai plus. Je ne fais pas de l'esprit. Je n'ai plus la force. Je veux en revanche définir le monde pour toi, en dessiner les contours, les limites.

L'homme ne connaît pas son zob, cette extrémité qui le dépasse, le démange, le dérange. C'est un être à part, le zob. Tu dois nouer avec lui un dialogue qui exclut en secret l'homme. Tu dois inventer un langage pour chaque zob, des gestes, des murmures, des regards, des façons d'être pour l'approcher, l'amadouer, le saisir, le mener jusqu'au bout de la nuit et de ses plaisirs. Le marié aura aussi, très souvent, peur. N'oublie pas la tendresse. Regarde-le tendre. Sans mollesse. Il en sera touché, reconnaissant. Il te laissera le prendre, le dompter, l'agrandir, le nourrir, lui faire goûter la salive, le sel, le sucre, le miel, la forêt, le sang. Son propre lait.

Je pars. Slima. Je pars, je meurs.

Mais l'avenir arrive vite. C'est une idée heureuse, l'avenir. Optimiste. Infinie.

Tu y seras, dans ce temps blanc. Tu y es. Quoi qu'il arrive, par moi, tu seras l'éclaireur. Un être à part. Plus qu'aujourd'hui. Plus que les autres.

Tu ne parleras pas. Je le sais.

Seule la nuit te donnera cette force, cette ouverture. Ce miracle.

Utilise-le pour le bien des autres. Surtout les femmes. Elles n'auront que toi.

En guidant le zob de l'homme, en le dominant, tu serviras ton propre sexe. Tu auras des besoins. Tu sauras les satisfaire. Tu seras mauvaise aux yeux des autres. Et tellement épanouie au fond. Un soleil. Une lune. Une étoile. L'étoile.

Je le souhaite de tout cœur.

La vie est traîtresse, je le sais. Dieu est absent, nous le savons, toi et moi.

Il n'y a qu'elle, qu'Elle de vraie. La grande femme. La Berbère. La guerrière qui a combattu les Arabes, il y a des siècles, quand ils ont commencé à nous envahir, à nous obliger à changer de peau. Elle était la femme courage. La maligne. L'obstination. La liberté. La fierté. Notre déesse. Notre reine véritable. Notre Cléopâtre. Notre modèle à suivre. Tu la connais ? Tu la connais, n'est-ce pas ? Non ? Non ?

Tu dois la connaître. Demande autour de toi. Inspire-toi d'elle, de ses gestes, de sa fidélité à elle-même, à son corps, à son instinct. À son sexe.

Voici son nom… Elle s'appelle… Elle s'appelle… J'ai soif… Slima… J'ai soif…

Prends ma main, Slima.

J'ai soif… J'ai soif…

Touche mes pieds. Serre-les. Serre-les.

L'eau, maintenant.

Non, je n'ai plus le temps.

Je tremble.

Il est là. Il est là.

Le serpent. Il s'enroule autour de moi. De plus en plus. Il est grand. Il est long. Il monte. Il serre.

Regarde-moi dans les yeux. Je ne veux pas partir seule.

Regarde-moi.

J'ai peur. J'ai peur.

Il serre fort. Fort. FORT.

Je pars.

Je pars.

Kahina.

La déesse berbère. Elle s'appelle Kahina. KA-HI-NA.

Ne nous trahis pas, ma fille.

Sois à la hauteur.

Lâche ma main.

Lâche, Slima. Lâche.

# 3

Un homme coupe un arbre. Il est en train de donner les derniers coups. Trois. Deux. Un. Il s'arrête. Il s'éloigne un peu. L'arbre est grand, très grand. On le voit. On ne l'avait pas vu avant, il n'était pas dans le champ de la caméra. On le voit maintenant, cet arbre qui tombe, qui va tomber complètement. Mais, d'abord, il faut qu'il se détache de lui-même, du reste de son corps, de ses racines bien profondes dans la terre. Il le fait. Il va se décider à le faire. Il tombe. Il n'est plus droit, son corps long, sa racine au ciel, se précipite, chute, petit à petit, au ralenti, puis très très vite. Au même moment, la séparation se produit. Le détachement. Un corps avec deux racines. Un corps vieux, d'avant, qui allait vivre encore longtemps, des centaines d'années, plus qu'aucun homme, un corps éternel, au sens propre, est en train de mourir. On le coupe en deux. On le divise. Il ne sera plus dans la terre, à partir de la terre. L'arbre s'écroule. C'est violent. La vitesse de la chute, à la toute fin, s'est accélérée. C'est vertigineux. Cela ne ressemble à rien d'humain, c'est une vitesse en dehors de nous, dans une réalité inconnue de nous, noire, étrange.

L'arbre a mal. J'ai mal pour lui. Pour ses branches. Chaque fois.

Je suis devant la télévision. Je dévore les images de ce film. Ma mère Slima travaille. Je l'entends. Dans la chambre d'à côté.

Je ne connais pas le nom de cet arbre qui vient de tomber. Son genre.

Il est seul, maintenant. On s'en rend compte visuellement. Notre arbre est couché, il agonise. Autour de lui il y a d'autres arbres. Ils lui ressemblent. Pas exactement, à vrai dire. Ils ont tous la même mère, sans doute. Pas le même père. Le père, de toute façon, cela ne compte pas. Des frères ? Que des frères ? Des sœurs ? Que des sœurs ? Des neveux ? Des nièces ? On ne sait pas. Mais on voit que tous ces arbres à l'écran ont le même âge, le même vert dans les branches, le même ocre tout le long du corps, que notre arbre par terre. C'est évident. C'est montré pour que cela soit évident. Cette séparation et cette ressemblance.

Un arbre vient d'être coupé de la terre. Et du ciel. Sa chute a provoqué un tremblement des signes et des étoiles. C'est invisible. On l'imagine. Et c'est bien vrai.

On ne va pas le pleurer, cet arbre ?

Pourquoi ?

À quoi sert-il, ce meurtre ? Et que va devenir la racine dans la terre ? Elle donnera vie à un autre arbre ? Elle osera trahir notre arbre dont le corps est encore chaud, pas complètement mort ?

Et l'homme, cet homme cruel, que fait-il ?

Il a vu la même chose que nous, que moi. Il n'a rien raté de cette scène, de cette déchéance. Il a joui du spectacle tragique de sa propre cruauté. Une pioche à la main, il a tout enregistré. Il est resté calme. Neutre. Il n'a rien dit, rien exprimé.

Il est grand, l'homme.

Il porte un jean, une chemise, une ceinture, des boots de cow-boy.

C'est un cow-boy.

On est tristes.

Il n'est pas triste.

C'est curieux : il s'éloigne. Il ne regarde pas l'arbre. Il ne le touche pas. Il part. Comme ça. Il se redresse. Il garde la pioche. Et il quitte le champ.

C'est cruel.

C'est angoissant.

On ne comprend pas l'homme. On le juge. Je le juge. Sans pitié.

C'est un homme froid. Pour l'instant, on n'a pas envie de lui trouver des excuses.

Il quitte la scène.

On est avec l'arbre. On est par terre avec lui. On le regarde. On ne sait pas quoi faire. Les autres arbres se sont détournés. Ils ont peur de regarder. On les comprend. La mort est dure à regarder. On ferme les yeux. On les voit : les arbres sont tous en train de fermer lentement leurs yeux. Mais nous, on est fascinés, captivés, et on continue de regarder. De regarder sans savoir quand on doit nous aussi fermer les yeux.

La tristesse domine le monde. La scène. Les couleurs sont pourtant chaudes, éclatantes, violemment vivantes. Elles le seront tout le temps. On aura beau crier au scandale, ces couleurs ne changeront pas de ton, ne varieront pas. On sait qu'elles sont belles, qu'elles sont une célébration de la vie. On le sait. On le comprend et on est tristes. Dieu nous entend alors et nous rejoint dans notre tristesse infinie pour cet arbre coupé, enlevé, sans pieds. Dieu a pitié de nous. De lui.

Les trois scènes qui suivent montrent la beauté dans le deuil du monde que cet arbre vient à l'instant de quitter. La Forêt. La Rivière. La Montagne. L'Espace grandiose. La Terre et le Ciel, unis et qui chantent.

Il n'y a pas d'homme. Il n'y a que le monde. Que des bruits. Une autre langue que nous ne comprenons pas.

Cela dure une minute peut-être. Les funérailles. Le monde sans l'arbre.

Et l'homme réapparaît. Au milieu du monde. Il est petit. Il monte un beau cheval. Ils vont tous les deux. Ils vont. Ils n'expliquent rien pour l'instant. Dieu va-t-Il punir l'homme ? Le juger pour ce crime, pour la tristesse qu'il vient de nous causer ? Le punir et le jeter dans l'enfer pour l'âme qu'il vient de prendre froidement ? Lui demander au moins de justifier cet acte ? Lui poser à notre place cette question : pourquoi ?

L'homme et le cheval s'éloignent, se fondent dans la Nature. Le générique commence.

Ma mère est seule à présent dans la chambre d'à côté. Elle se repose entre deux passes. Je suis en train de revoir pour la dixième fois ce film. Le générique défile et avec lui une musique et une chanson. Je ne comprends pas l'anglais mais je sais presque tous les mots de cette chanson. *River of No Return*.

Tout le film est parlé en français. D'autres voix ont pris possession des corps des acteurs, des personnages. J'ai fini par le comprendre. C'est un des clients de ma mère Slima qui m'a aidé à le savoir. Il m'a offert deux cassettes du même film, une en version française et l'autre en version originale, en anglais. Et il m'a expliqué le titre. *River of No Return*. « Rivière sans retour ».

Et plus tard, juste avant le départ de ce client à la guerre, quand il avait commencé à m'appeler « mon fils », nous avons étudié ensemble les paroles de la chanson-titre.

La voici :

*Ummmhhhhh*
*If you listen, you can hear it call*
*Wail-a-ree*
*Wail-a-ree*
*There's a river called the River of No Return*
*Sometimes it's peaceful and sometimes wild and free*
*Love is a traveler on the River of No Return*
*Swept on forever to be lost in the stormy sea*

*Wail-a-ree*
*I can hear the river call*
*No return, no return*
*Wail-a-ree*
*I can hear my lover call : Come to me*
*No return, no return*
*I lost my love on the river and forever my heart will yearn*
*Gone, gone forever down the River of No Return*
*Wail-a-ree*

*Wail-a-ree*
*Wail-a-ree*
*He'll never return to me*
*No return, no return*
*Never*

Lui, le client de ma mère, il comprenait très bien ces paroles, ces mots. Moi, je les sentais de l'intérieur, je les saisissais à ma façon. Par mon cœur. Elles disaient l'amour, bien sûr. L'amour perdu. L'homme de ma mère n'avait pas besoin de me le confirmer. L'amour triste sur une rivière sans fin.

Il m'a annoncé son départ un matin tôt, ma mère n'était pas encore réveillée.

« Demain, je pars. Je veux que tu chantes cette chanson pour moi ce soir. Tu as toute la journée pour mémoriser les paroles. Tu sais lire, bien sûr. N'est-ce pas ? Tu as maintenant 12 ans. Tu vas à l'école. Non ? Tu acceptes ? Je ferai le chœur. Je ferai les "*Wail-a-ree*". D'accord ? Tu veux ? Fais-moi ce petit cadeau… »

Comment refuser ?

Il était le plus beau des soldats qui venaient chez nous, dormir un moment avec ma mère. Jouer avec moi. Discuter avec moi.

Il était beau comme un père imaginaire. Il n'existait pas. Le métier de ma mère l'avait fait exister. Le rêve, le fantasme impossible, était devenu une réalité. Deux fois par semaine, ce soldat était notre père dans notre nouvelle maison.

Ma mère Slima m'avait finalement écouté.

Nous avions quitté le terrible quartier de Hay Al-Inbiâth. Comme je le voulais, nous nous sommes installés dans le quartier de Hay Salam. Nous avons fait semblant, le plus longtemps possible, d'être des gens comme les autres. Les voisins et les voisines ont fini par comprendre, bien sûr. Au bout d'un mois seulement. Les hommes frustrés, mariés, seuls, ont vite connu notre chemin, notre maison, le corps nu de ma mère.

Je ne dormais jamais quand ils étaient là. J'étais dans l'autre chambre. J'écoutais pour ne pas avoir honte, ne pas sombrer dans les crises de panique.

Je sais tout. Tout. Tout du sexe.

Je ne suis gêné par rien. C'est juste du sexe. Tout le monde en a besoin. Ma mère le donne. Parfois gratuitement. Elle s'offre aux autres. Et nous mangeons. On doit manger.

Cela fait deux ans que nous sommes dans le quartier de Hay Salam. Je ne vais plus au hammam. Je n'aime plus les hammams.

Je suis en train de revoir le film. *River of No Return*. Je dois mémoriser les paroles de la chanson. Vérifier que je les ai parfaitement en moi.

Je croyais connaître ce film. Je croyais connaître chaque détail, chaque couleur. Je me trompais. Le film débute par un arbre qu'on tue. Cela a un sens. Cela doit avoir un sens. Mais lequel ?

Je ne peux voir maintenant que lui, cet arbre qui tombe.

*River of No Return*, c'est l'histoire d'un arbre.

Pourquoi sacrifier un arbre ?

Je revois le film. Je chante avec le film. Je comprends. Et je ne comprends pas. L'histoire est tout à coup une autre histoire. Une autre clé.

J'ouvre.

Il est mort, l'arbre. Son âme est en train de monter.

On le pleure.

Je le pleure.

En chœur, nous disons une prière. *River of No Return*.

Les paroles entrent en moi différemment ce soir. C'est puissant. C'est mortel. J'ai envie de tendre la main. Je le fais. Je retiens mon souffle. Je sors de mon âme. Je rejoins celle de l'arbre. Nous sommes amis. Nos âmes nous dépassent. Elles me regardent, m'encouragent. Mon corps reste auprès de l'arbre.

Je suis au ciel. J'apprends de nouveau la chanson.

Ma mère vient de fermer la porte de sa chambre. Un nouveau client. Un autre soldat, sûrement.

Je ferme les yeux. Mon âme ne m'appartient plus. Le film continue de passer sur notre poste de télévision. Je le vois. Je l'écoute. Je l'arrête. Je me concentre sur le moment premier. On coupe. On tue. On fait tomber. On n'enterre pas. La terre finira par tout recouvrir.

La chanson. Encore. Elle revient. Dans ma mémoire troublée. Devant mes yeux aveugles.

Je l'accompagne. Je dis des mots qui me portent, sans comprendre totalement leur sens.

Je chante comme la chanson. Au même rythme que la chanson. Dans une autre langue.

Je chante avec ma voix d'homme.

Je dis et je répète.

Il y a d'abord des voix féminines, d'anges, qui font « *wooooohh* » doucement. Des voix d'hommes arrivent. Elles disent : « *No return, no return, no return.* » Puis la voix seule d'un homme prend le pouvoir, le contrôle de la chanson. C'est le générique, mais la chanson a commencé bien avant le générique, dès que l'âme a quitté l'arbre.

Le chanteur fait le chanteur. Les chœurs le soutiennent. Et moi, je l'imite. Je murmure ses mots anglais. Je les dis juste après lui.

J'ai tout inventé. Je crois même que, quelque part, inconscient et lucide à la fois, j'ai écrit en chantant pour la première fois. Comme inspiré, possédé par un djinn passager. Un poème étrange. Je l'ai perdu depuis. Oublié. Mais le goût de cette inspiration, de cette rencontre inattendue, est resté en moi.

Il faudra écrire un jour de nouveau. Avant de mourir définitivement. Avec ce goût. Sa trace. En cherchant le ciel autrement. Dans des mots anglais. En apparence anglais. Au fond, tout au fond, ils seront toujours arabes. C'est la langue en moi, bien avant moi. Elle me colle à la peau. Me dépasse. Me dit malgré moi. Enregistre notre destin, nos jours, nos nuits, les cris étouffés de ma mère, sa solitude, son désarroi et parfois son bonheur.

J'ai continué à apprendre la chanson, à la faire entrer doux en moi. Le soldat de ma mère m'avait lancé un défi, voulait une preuve. Il croyait en moi. Il me fallait être un homme. Comme lui un homme. Petit soldat. Grand soldat.

Pas loin du quartier de Hay Salam il y avait une immense base militaire. Un terrain vague, vaste et terrifiant, nous séparait d'elle. Je n'ai jamais osé le franchir. C'était le pays des bandits, les vrais, des ivrognes rejetés de tous, des tueurs, des drogués. Une zone de non-droit juste à côté de la base militaire la plus importante du Maroc. Je n'ai jamais compris comment cela était possible. J'ai posé une fois la question à notre soldat. Lui non plus n'avait pas de réponse. Il s'est contenté de dire :

« C'est le Maroc ! »

C'est le Maroc ?

Une autre énigme.

Après son travail, le soldat traversait cette zone pour rejoindre Hay Salam, où il habitait comme nous. Il n'avait jamais peur. Il était sans doute protégé par sa tenue militaire et par les prières de sa mère.

Hay Salam lui appartenait.

C'était le milieu des années 80.

Le Maroc avait soudain besoin de plus de soldats. On les formait à Salé, à Kenitra, à Meknès, et on les expédiait au sud, dans le Sahara, défendre un désert soudain devenu un territoire national, une cause sacrée. Un tabou. Un mystère. Une fiction. De la science-fiction.

Notre soldat était sur le point de finir sa formation de deux ans.

Il était arrivé chez nous quand j'avais 11 ans. Ce jour-là j'en avais presque 13.

Je me suis habitué à lui très vite. La chambre qu'il louait chez un Berbère du Sous n'était pas loin de notre maison. Il venait voir ma mère au moins deux fois par semaine. Et moi j'allais le voir dans sa chambre désordonnée de célibataire quatre à cinq fois par semaine. Il ne s'est jamais plaint de ma présence trop envahissante, de mes chansons trop naïves et de mes fesses trop maigres. Pour me faire aimer un peu plus de lui, je me suis inventé un rôle. Sa bonne. Le bordel de sa chambre, c'était moi qui le rangeais. Son linge sale, c'était moi qui le lavais. Sa vaisselle, c'était moi qui la faisais. L'odeur de musc qu'on respirait chez lui, c'était moi qui l'avais imposée. Le musc était un lien entre nos deux chambres. Nos deux vies.

Deux ans de va-et-vient.

Deux ans pour connaître de l'intérieur un homme, un être humain, un sexe masculin. Savoir tout de ses paroles et de ses silences. De son souffle qui s'accélère. De son cœur qui devient fou. De sa jouissance. Son râle. Et son corps, au ciel, qui tombe violemment.

Deux ans pour m'inspirer d'un homme, le copier, marcher comme lui, me tenir comme lui, tomber comme lui, inventer dans ce monde une place près de la sienne, un chemin parallèle au sien.

Deux ans.

Je n'ai rien vu d'autre que lui. Lui et ma mère Slima. Lui, ma mère et le film. *River of No Return*.

Deux ans qui se terminaient ce soir-là.

On allait l'envoyer combattre au sud pour l'honneur marocain, la fierté marocaine.

Il était digne à côté de moi, de nous.

À présent, il allait entrer un peu plus dans la soumission qu'on nous imposait, à tous les Marocains.

« Le Polisario. C'est le nom de notre ennemi. Ils veulent nous voler notre Sahara occidental. »

Le soldat a dit cela et il a ri.

Plus tard, des années après, j'ai compris le sens de ce rire, son ironie, sa transgression. Sa tristesse.

Je n'avais rien contre le Polisario. Je ne connaissais pas le Sahara marocain.

Je connaissais le soldat.

Il allait partir ce soir-là.

Il marchait vers la mort.

Il le savait.

Je le savais.

Personne n'arriverait à forcer ce destin. Le dérouter. L'annuler. Le combattre. L'amadouer.

Le Sahara était marocain. Le roi Hassan II l'avait décidé. Et, après le départ des Espagnols, il avait organisé une grande marche en 1975 pour le récupérer, en faire une terre marocaine. La Marche verte.

Le soldat avait préparé sa valise. Je l'avais aidé. Il y tenait.

Le soldat allait pleurer.

Ma mère s'en moquait. Pour elle, il n'était qu'un client parmi tant d'autres.

J'avais appris sérieusement la chanson du film. Il était hors de question de le trahir. De sombrer dans une tristesse déclarée. La joie était ce qu'il venait chercher chez nous. La joie était mon dernier cadeau pour lui.

Une chanson. Une petite danse. Un refrain. Une langue qu'on fait nôtre enfin.

Dans la nuit longue nous allions tout réécrire. Ne plus jamais dormir.

Je m'appelle Jallal.

Dès notre installation à Hay Salam, ma mère Slima a acheté un poste de télévision. En couleur. C'était rare à l'époque, au milieu des années 80.

Elle faisait son travail. Des hommes. Encore des hommes. Des Blancs. Parfois, mais rarement, des Noirs. Elle avait beaucoup de succès.

Après l'école, dans ma chambre bleue, je regardais la télévision.

Dans sa chambre verte, ma mère bossait dur.

Je ne m'ennuyais jamais.

Je faisais le ménage et la cuisine. Ma mère s'occupait du reste.

Les années à Hay Salam, c'était l'âge où tout allait être redéfini. Mon rôle. Le sien. Ce qu'on allait faire à deux, séparés, communiquant à travers le mur qui liait ma chambre à la sienne.

Je ne réveillais jamais ma mère quand elle dormait. Son corps avait un autre rythme que le mien. Vivait d'autres expériences.

Je savais tout.

Je posais parfois une question.

« C'est comme ça, mon fils. Je suis née pour cela. Vivre nue. Ne pas avoir peur d'être nue pour les autres. Je n'ai pas honte. »

Je ne comprenais pas toujours.

Je regardais la télévision. C'est d'elle que j'ai appris à mieux distinguer les choses, les fils entre les gens. Le mal. Le bien. Les masques. Les langues. Les illusions.

Il ne fallait pas dire aux autres que nous avions une télévision en couleur. Ni aux voisins ni aux camarades à l'école. La jalousie, encore, toujours, partout. Se méfier des autres, de tous les autres. La nudité ne signifie pas révéler son âme, ses secrets, à tout le monde.

« Le monde ne comprend pas la terre. On ne sait plus être vrai. Tu ne dois jamais te livrer complètement aux autres, mon fils, même à ceux qui t'aiment. Résiste. Résiste. Ne dis pas tout de toi, de ton histoire, de ton cœur. Ne te donne jamais totalement. Personne ne mérite cela, cet honneur. Tu as compris ? »

La télévision en couleur symbolisait cette attitude, cette pensée. Cette stratégie. Cacher l'essentiel. Cacher le vrai. Apprendre à jeter des sorts. À annuler ceux des autres. Marcher en regardant en permanence autour de soi.

Personne ne l'a su. Personne n'a vu juste en moi. Sauf peut-être le soldat. Lui, il savait pour la télévision en couleur. Il savait qu'elle avait été inventée pour parler à notre place, écrire nos histoires à notre place. « C'est notre mémoire », disait-il souvent. « C'est notre amie, lui répondais-je. Mon amie. »

La télévision me donnait à voir une autre logique du monde et de moi-même.

Elle nous offrait des films.

Les westerns étaient de loin mes préférés. Tous les westerns. Et surtout un : *River of No Return*, bien sûr.

Voilà comment je l'ai découvert.

C'était dimanche, le jour le plus rempli de ma mère. De 10 heures à 19 heures, c'était le défilé. Des hommes de tous les âges. Les habitués comme les nouveaux savaient que chez nous il fallait bien se comporter. Être bien élevé. Attendre son tour en silence. Ne pas fumer. Ne pas réclamer du thé. On ne fournissait que du café. Et, surtout, ne jamais crier au moment de jouir.

Muets, les clients jouaient parfois aux cartes.

« Tout le monde sait que je suis une prostituée mais ce n'est pas une raison pour transformer ma maison en souk. Les règles sont les règles. »

C'est ce qu'elle leur disait et redisait sans cesse.

Ils attendaient comme de bons élèves leur tour. L'examen s'annonçait dur. Et cela les excitait. Leurs yeux trahissaient leurs rêves érotiques fous. Ils n'étaient plus de ce monde. Leur tête était déjà du côté de ma mère, plongée dans son corps généreux.

« La chaleur de tes cuisses fait fondre mes soucis. »

Un des soldats de ma mère ne revenait que pour cela. Dormir sur les cuisses de ma mère. Trente minutes. Pas plus. Se réveiller. Dire cette phrase. Et partir.

Il était le plus vieux. 45 ans. Il passait toujours en dernier.

Ce dimanche-là, c'était lui qui avait dit à ma mère qu'on devait absolument regarder la télévision vers 20 h 30. Son western préféré était au programme.

Ma mère avait pris une douche rapide dans les toilettes turques.

Le dîner était prêt. De la bissara (des fèves) à l'huile d'olive et au cumin. Sans tomates.

Il faisait très froid. L'hiver ne voulait plus partir, finir.

Ma mère m'a rejoint dans mon petit lit.

Nous étions sous la même couverture.

Dans la même chaleur.

La pluie tombait. Fort.

Sur la télévision en couleur le film avait déjà commencé.

Une femme blonde chantait. Dansait et chantait. Autour d'elle, que des hommes, des cow-boys heureux comme des enfants.

Je ne la connaissais pas.

Ma mère, elle, oui, la connaissait bien.

Avec une adoration sincère, elle a dit :

« C'est Marilyn ! Marilyn Monroe ! »

C'était comme si elle retrouvait une sœur perdue, aimée passionnément dans une autre vie. Une preuve que l'amour avait raison d'exister, de nous imposer sa loi divine. De partir sans raison. Et de revenir un jour tranquille, sans événement particulier.

Un amour qui dépassait ma mère, son genre, son sexe, son histoire. Au-delà de sa condition et de sa réalité. Le cinéma et Marilyn Monroe sortaient ma mère de son silence, de son refus constant d'exister dans les mots dits et redits.

« C'est Marilyn ! C'est elle ! C'est elle ! »

J'aurais aimé l'approuver. Mais je ne connaissais pas cette actrice américaine. Une femme blonde. Très blonde. Sur sa tête : le feu.

Ma mère, plus tard cette nuit-là, m'a raconté ce qu'elle savait sur elle. Sur ses amours.

« Elle est morte l'année de ma naissance. Je le sais par la radio. Ils l'ont dit plusieurs fois. L'année où elle est partie. Un suicide, paraît-il. Mais c'est un mensonge. Cette femme ne peut pas mourir. La mort ne peut pas l'attraper. La mort a peur des blondes. Le feu sur leur tête fait fuir la mort, toutes les morts. Marilyn était triste, très triste, profondément triste, c'est vrai. Cela se voit tout le temps sur elle, dans ses gestes, sa façon de marcher, de chanter. De rire. De baisser les yeux une seconde ou deux avant d'oser enfin regarder les autres, l'autre. Elle joue, elle fait la joie, le bonheur. Elle y croit. J'y crois. Elle arrive à me convaincre, chaque fois qu'elle se laisse prendre par les caméras, que la vie n'est pas seulement la vie, il y a autre chose. Il y a ce corps, le sien, le mien, le tien, celui du monde. Il y a la beauté. Il y a les règles. Marilyn Monroe m'apprend à aller au-delà de ces apparences. Elle est le monde tout entier, son origine, son développement, ses trous, sa matière noire, son ciel et ses volcans. Elle porte tout cela en elle. Et c'est, bien sûr, lourd. Lourd pour une enfant rejetée de tous, dès le départ, dès le premier jour. Dans l'errance éternelle. Triste elle est née, triste elle sera toujours. Triste parce qu'elle sait tout, connaît tout des hommes et des femmes. Devant elle, ils n'ont plus honte, les hommes. Ils lui disent tout. Les mots orduriers, les désirs enfouis, les lâchetés quotidiennes. Les secrets des parents. Elle prend tout. Les sourires. Les crachats. Les larmes. Les arrogances. Les doutes. Elle traverse le monde pour nous. Je la suis. Moi, je la suis jusqu'au bout. Elle n'est pas morte. Elle m'attend au paradis. Elle nous regarde elle aussi. De là-bas. Elle voit tout. Elle sait que, ce soir, ce film avec elle passe chez nous. Elle n'est pas morte. Elle est avec nous. Tu comprends ? Elle est là. Tu la vois ? C'est Marilyn Monroe. Répète après moi : Marilyn Monroe. Ma-ri-ly-n Mon-roe. Marilyn

Monroe. Je l'aime. Tu dois l'aimer. Tu dois l'aimer, Jallal. Tu dois. »

Je m'appelle Jallal.

Ma mère Slima, avant la nuit, juste au tout début de la nuit, m'a initié au mystère de cette femme en feu, en flammes. Une actrice. Un être seul. Nu. Entre la terre et le ciel. En voyage. Une prophétesse. Une poétesse. Une ignorante. Une inspirée. Une dévergondée entourée d'amour. Une comédienne qui se montre trop et cache l'essentiel, une âme pure, des larmes interminables. Elle vient d'Amérique. Mais elle n'est pas seulement américaine. Elle parle anglais et, dans mes oreilles, mon cœur, c'est comme si c'était de l'arabe.

Je n'ai pas vu d'autres films avec elle.

Cette nuit-là, pendant que *River of No Return* passait sur notre télévision, ma mère n'a pas arrêté une seule seconde de pleurer.

Je comprenais cette identification. Il n'y a pas que le sang qui lie les êtres. Les âmes se rencontrent, se reconnaissent et se parlent même quand les mers, les océans les séparent. Elles dépassent ces barrières insignifiantes. Elles marchent sur les eaux. Volent au ciel. Discutent avec les prophètes. Récitent soudain, sans jamais les avoir appris auparavant, des poèmes sacrés, soufis, écrits il y a des siècles et des siècles. Psalmodient le Coran, la Bible et *Les Mille et Une Nuits*.

Les âmes se regardent. Elles sont une.

Ma mère, cette nuit-là, s'appelait Marilyn. Elle était mécréante comme elle. Malheureuse comme elle. Une pute. Une servante. Une déesse. Elle se cachait. *River of No Return* me révélait ma mère autrement. Elle n'était pas seulement ma mère. Elle n'était pas qu'à moi. Elle était la mère des autres aussi. La mère, la sœur jumelle de Marilyn.

Le cinéma a été inventé pour cela. Nous faire voir nos mères sous un nouveau jour. Les avoir pour toujours. Les partager sans aucune réticence. Sans aucune jalousie.

Je m'appelle Jallal.

Je suis le fils de Marilyn Monroe.

Les soldats ont fini par partir.

Mon soldat va disparaître.

Il m'a fait un cadeau. Deux cadeaux.

Un vieux lecteur de VHS Sony.

Un film. Une cassette VHS. Un western. En deux versions, originale et française.

L'arbre n'est pas mort. J'ai fini par le comprendre.

Sans le soldat, sans ma mère, j'ai vu et revu sans jamais m'en lasser *River of No Return*, ce film où les couleurs éclatent, explosent et nous caressent. Ce film est vide du monde. Vide des autres. Ce film revient au tout début. Là où il n'y a personne. Que le danger. Que la liberté et ses dangers. Que les tentations et leurs malentendus.

Ils sont trois dans le film.

Lui. Elle. Et le petit.

Ce soir, le soldat va partir pour la guerre obscure au sud du Maroc. Ils seront encore trois cette nuit dans notre poste de télévision en couleur.

Ma mère sera avec un client. Le soldat lui dira adieu rapidement. Il viendra me voir. Et je chanterai.

Le film commencera de la même manière. L'arbre qu'on coupe. Il tombe. Il meurt. Il est à terre. Il rend son dernier souffle. Va-t-il ressusciter ce soir ?

Le film est cet arbre déraciné, bientôt transformé.

Il m'a fallu du temps pour le saisir, pour mettre les signes ensemble dans la même pensée, la même phrase.

Je ne comprends pas le français.

Je regarde le film et je le réinvente à ma façon. Les corps parlent mieux que les langues. Je le sais depuis toujours.

L'arbre en arabe se dit *chajara*. C'est un mot féminin.

Ce soir, la *chajara* tombera encore. Mourra encore et encore.

Ce soir, par une chanson, par ma voix rauque de petit adolescent, je la sauverai, cette *chajara*. Elle changera de sexe, d'orientation. D'identité.

Je mourrai avec elle.

On tombera ensemble.

On se relèvera. Par la foi. Ma foi. Mon chant. Et cette promesse : Marilyn Monroe nous attend, elle ne nous trahira jamais.

Cela se passe dans un camp. Il n'y a que des cow-boys. Ils cherchent tous de l'or. En vain. Ils se reposent. Ils oublient. C'est la nuit. Un homme est de retour. Il vient de sortir de prison. Il a coupé l'arbre. A fait autre chose qu'on ignore pour l'instant. Il s'est trouvé un cheval. Et il a pris le chemin du camp. Les hommes perdus sont enivrés. Ils attendent. Une découverte. Une apparition. Une fin. C'est une foule de plus en plus grande. On la voit partout sur l'écran. Une foule sauvage, en rupture, à la recherche d'un moment fugitif de tendresse. On boit. Et on boit. Et on boit. Au milieu de ces hommes, un petit garçon, un petit homme. 10 ans. 11 ans peut-être. Il est chez lui ici, dans cette foule dangereuse, à la limite du désespoir. Il les sert. Il les connaît tous, les hommes de cette foule. Il erre comme eux. Il attend comme eux. Il n'a pas encore commencé à boire. Il n'est plus innocent. Il a tout vu ici dans ce camp. Les assoiffés. Les désaxés. Les fous. Les saints. Les prostituées. Les prêtres. Les chanteuses. Les guerriers. Les morts. Les survivants. Les chefs. Une mère. Marilyn Monroe. Le feu sur la tête. Elle se produit sur la scène du cabaret. Sous une tente.

L'homme trouve rapidement l'enfant. Il lui dit : « Je suis ton père. Je suis revenu pour te reprendre. Te retrouver. »

L'enfant demande une preuve.

Le père sort une étoile. L'enfant a la même sur lui.

Cela ne dure même pas une minute. Ils ne se connaissaient pas il y a un petit instant. Ils se déclarent maintenant père et fils.

Et ils partent.

Ils quittent la foule tendre et dangereuse. La foule amoureuse de Marilyn Monroe. Kay. Elle s'appelle Kay dans le film. Elle est sur scène. Elle chante. Elle montre ses jambes, ses épaules, ses bras. Son âme. Elle rayonne de douceur. Elle n'est pas vulgaire. Ses gestes sont presque enfantins. Ses mots sont des prières. Les hommes ont ouvert leur bouche. Ils ne se préoccupent plus d'alcool. Avec Kay, ils montent très haut. Ils ne sont plus des chercheurs d'or avides. Ils régressent. Ils jouent comme des enfants.

Kay est leur mère à tous.

Le père et le fils ont traversé tout l'écran, tout le champ. Ils sont maintenant dans la loge de Kay.

Le fils présente son nouveau père à la chanteuse.

Le père la regarde gentiment, avec un respect trouble.

La chanteuse et le fils se disent adieu. S'embrassent. Cela ne dure pas longtemps.

C'est la fin de la première partie.

Ces trois personnages ne se reverront plus. Il n'y a aucune raison pour que cela arrive.

Le rêve peut alors commencer. Le cinéma montrer sa véritable puissance. L'impossible deviendra possible.

En dehors du monde. En fuite. Sur un radeau fragile. Une famille. Le fils, le père et la chanteuse vivent un déluge. Les Indiens les poursuivent. La mort qui se rapproche les force à errer sur un fleuve en furie. L'espoir d'un autre paradis les oblige à rester ensemble, sauver leur peau, leur âme, leur corps. Tenter la famille. La réinventer. Dans la guerre. La haine. La trahison. Dans l'amour enfin.

L'arbre n'a pas été coupé pour rien. Il est ressuscité. Il a servi à construire un radeau. Ce radeau simple et fort.

*River of No Return* est aussi l'histoire de ce radeau qui va, qui va, qui va… Le fleuve intrépide ne l'arrêtera pas. La mort sera son ennemie mais jamais elle ne le brisera.

L'arbre est mort une première fois. Au tout début.

Il est monté au ciel.

Le film se passe dans un autre monde. Un au-delà où l'arbre peut revivre, se transformer.

La résurrection n'est pas une fiction. Le cinéma le démontre. Marilyn Monroe en est convaincue. Ma mère et moi aussi.

Nous pleurons.

Tous les trois.

Je cours vers la télévision et je l'embrasse.

Je veux la bénédiction de Marilyn Monroe. Je veux son feu.

Le soldat est revenu à ce moment-là.

Ma mère a essuyé ses larmes. Elle s'est mise debout. Et, silencieuse, a quitté la pièce pour celle d'à côté.

Le soldat m'a dit :

« À tout à l'heure, petit. Ne m'oublie pas… »

Je suis resté scotché à l'écran de télévision. J'y suis entré.

J'ai rejoint l'autre famille. Sur le radeau.

J'ai chanté *River of No Return*.

Et j'ai compris que, un peu plus tard, je chanterais bien comme il faut, comme Kay. Le soldat serait fier de moi.

Je le savais maintenant.

Les yeux et les cheveux de Marilyn Monroe me confirmaient cette intuition : la vie ne s'arrêtera pas.

Quelque chose arrive. Je le vois. J'y suis.

J'avais changé de réalité, j'étais entré pour de vrai dans la fiction, j'avais traversé la frontière. Pris d'autres couleurs.

Le temps s'est arrêté.

J'étais dans le vrai.

Dans le chant.

Sur un arbre.

# II. Par amour

# 1

« Tu n'aimes pas la chanteuse Samira Saïd ? C'est vrai, Slima ? Ce n'est pas possible ! Tout le monde ici, au Caire, aime Samira Saïd. C'est une très grande star, dans tout le monde arabe. Elle est de nationalité égyptienne. Nous la considérons vraiment comme égyptienne maintenant… Tu n'aimes pas Samira Saïd ? Tu es marocaine et tu n'aimes pas Samira Saïd ? Tu n'as pas honte ? Je suis sûr que ton fils Jallal, lui, l'adore. »

J'avais accepté ce jour-là d'accompagner exceptionnellement ma mère Slima dans son salon de coiffure préféré.

La discussion entre le coiffeur et ses nombreuses clientes m'amusait beaucoup.

Je n'avais aucune opinion sur Samira Saïd, mais ma mère, elle, n'aimait vraiment pas cette chanteuse.

Le coiffeur ne voulait pas le croire. N'y arrivait pas. Et il s'était lancé dans un défi qui agaçait beaucoup ma mère : la faire changer d'avis.

« Dis-moi, Slima… Qui aimes-tu parmi les chanteuses égyptiennes, arabes ?

– Tu connais Aziza Jalal ?

– Ah ! L'autre chanteuse marocaine devenue star en Égypte ! C'est elle que tu aimes, cette chanteuse qui porte des lunettes d'intellectuelle ?

– Aziza Jalal a plus de distinction, de classe.

– C'est ce que tout le monde dit. Mais, moi, sa voix angélique et sa perfection me laissent froid.

– Sa voix rappelle celle de la divine Ismahane. Tu ne peux pas l'ignorer.

– Oh là là ! Ma chère Slima, toi aussi tu tombes dans le piège de cette comparaison !

– C'est la vérité. Elle est aussi grande qu'Ismahane.

– Aziza Jalal et Ismahane sont trop froides. Trop divas. Trop hiératiques. Elles jouent trop la carte du mystère, de l'inaccessibilité.

– Tu as tort.

– J'ai raison d'aimer Samira Saïd, en tout cas. Elle a plus de mérite. On ne lui a rien offert. On ne lui a rien facilité. C'est une battante. C'est elle qui mène encore le combat.

– Que veux-tu dire ?

– Ton Aziza Jalal a pris sa retraite. Non ?

– Oui.

– Et pourquoi ?

– Elle ne voulait plus chanter. Elle n'avait plus rien à offrir au public. Elle était sans doute trop épuisée. Alors… alors, elle s'est retirée. Je respecte cette décision.

– Non, non, ma chère Slima. Ce n'est pas cela la véritable raison. Elle a cessé de chanter parce que son riche mari saoudien le lui a demandé. Elle avait à peine 30 ans quand elle s'est retirée. Et tout cela pour faire plaisir à monsieur. À un homme qui croit que la place de la femme est à la maison. Ne me dis pas, Slima, que tu soutiens ce genre de décision, cette hypocrisie !

– Je respecte… oui… je comprends Aziza…

– Il ne s'agit pas de respect ici, ma chérie. Il s'agit de comparer deux stars arabes qui viennent du Maroc. Aziza Jalal et Samira Saïd.

– Et donc ?

– Samira Saïd est toujours là. C'est elle qui se bat encore. Qui reçoit les coups. Qui se défend…

– Pour qui ?

– Pour toi. Pour vous les femmes. C'est étrange que tu ne t'en aperçoives pas ! Tu es intelligente. Que lui reproches-tu, exactement, à Samira Saïd ?

– Elle n'est pas naturelle. Elle manque de sincérité, de vérité.

– Et depuis quand l'art est-il une question de naturel ?…

– Que veux-tu dire ?

– Les chansons, c'est d'abord une fabrication, une construction. Être naturel, c'est ennuyeux. Construire une identité artistique, et ce sur plusieurs années, voilà ce que je respecte chez les artistes comme Samira Saïd. Un engagement fort. Jusqu'au bout. Une conviction réelle qui dépasse le cadre du chant. Une intelligence au service d'une cause vraie. Une liberté qui se manifeste en elle dès qu'elle apparaît…

– Tu fais bien l'avocat…

– J'aime les femmes qui ne se laissent pas dominer par les hommes. Et Samira Saïd est une femme de ce genre. En plus d'être une chanteuse audacieuse, moderne… Arrête de nous balader pour rien… Dis-nous vraiment pourquoi tu ne l'aimes pas… Que reproches-tu à Samira Saïd ? »

Le débat sur ce sujet futile était mené avec sérieux. Passion. Mais, au fond, on parlait des stars pour éviter de parler de soi. Les stars avaient été inventées pour cela, selon le coiffeur.

« Je n'aime vraiment pas Samira Saïd. Je n'aime pas cette chanteuse. Tu comprends ? Je n'aime rien de ce qui vient du Maroc, d'ailleurs. »

Cette dernière phrase, prononcée calmement, a créé un choc dans tout le salon de coiffure. Toutes les clientes regardaient ma mère.

« Tu n'as pas honte ? »

Elles ont toutes prononcé ce jugement d'un seul coup. Au même moment.

Ma mère faisait semblant de lire son magazine *Al Mawed*.

« Et ton fils Jallal ? » a demandé soudain le coiffeur, après une interminable minute de gêne.

Je voulais répondre. Ma mère m'a devancé :

« Mon fils Jallal est comme moi. Il n'aime pas Samira Saïd. »

Le coiffeur ne la croyait pas, bien sûr.

« Laisse-le répondre. Il est assez grand, non ? »

Ma mère a répondu à ma place, de nouveau :

« Mon fils est à moi. Il aime ce que j'aime. Il est ma mémoire et mon oubli. Il aimera ce que je lui dirai d'aimer. Il sera ce que je lui dirai d'être. »

Elle a prononcé ces dernières phrases d'une manière sèche. Blanche. Elle n'était plus dans le futile.

Après un long moment de silence, de gêne, elle a repris la parole.

« Mon fils me portera autant que je le porte. Il vient de moi. Je suis son origine, son pays, son avenir. Je le retrouve. Je viens de le retrouver. Nous sommes au Caire. Nous irons, ici, jusqu'au bout de notre destin. Jusqu'à la fin. Chaque jour, depuis que je peux de nouveau le voir, le toucher, je l'incite à se débarrasser d'une peau qui n'est plus la nôtre. Le Maroc ? C'est quoi, le Maroc ? Un pays ? Une idée ? Un sentiment ? Pourquoi, même ici, en Égypte, on continue de me l'imposer ? J'ai quitté ce pays, j'ai quitté ce monde. J'ai quitté aussi la langue de ce pays, son arabe, la manière dont on dit les mots arabes là-bas. Je suis sortie de ce moule. Le silence et le noir, pendant trois années, m'ont aidée à réfléchir, à muer, à voir vraiment. Ils voulaient me tuer. Je suis morte. La femme que tu vois, que vous voyez devant vous est quelqu'un d'autre. J'ai versé du sang. Beaucoup de mon sang. Ils m'ont tout pris. J'ai le droit de tout reconstruire. Repartir de zéro. Maintenant : 1988. Ici, chez vous. Vous me comprenez ? Vous m'accordez ce droit ? Le Caire n'est pas qu'à vous, les Égyptiens. Cette ville est aussi à moi. À tous les Arabes sans racines. Je la choisis. Je la prends pour ma deuxième vie. Ma renaissance. Je viens d'arriver. C'était il y a un… un an… Un an déjà ! J'ai 1 an. Mon fils a à peine 3 mois. Je ne suis plus marocaine. Mon fils non plus. C'est tout. Ne me parlez plus de ce passé, s'il vous plaît.

– Et Samira Saïd ? Le Maroc est contre elle aussi, tu sais. Il y a en ce moment la rumeur… »

Le coiffeur n'était plus dans l'attaque et la provocation. Le discours un peu compliqué, abstrait, de ma mère l'avait à la fois dérouté et intrigué. Il désirait comprendre. Savoir ce qui s'était passé. Mais il s'y prenait mal.

Ma mère l'a interrogé :

« Quelle rumeur ?

– Le film porno. Samira Saïd aurait fait un film porno. Pour réussir. Pour devenir star en Égypte et dans tout le monde arabe, elle aurait couché avec un tas de cheikhs des pays du Golfe. Ce sont eux qui l'auraient financée, qui la financeraient toujours. Mais, en même temps, quelque chose m'échappe dans cette histoire. Elle est très intelligente, cette chanteuse. Je la vois mal faire un film porno. Certes, pour réussir, tout le monde est prêt à tout, mais elle, vraiment, elle est intelligente, pas comme les autres chanteuses. Je ne saisis pas tout dans cette histoire… »

Le coiffeur était passionné par ces ragots. Il voulait continuer à nous donner tous les détails mais ma mère ne l'a pas laissé poursuivre son récit.

« Et d'où cette rumeur est-elle partie ? Tu le sais ? Du Maroc, j'imagine. Elle n'a pas pu naître ailleurs. Il n'y a que ce pays pour pousser à ce point-là ses citoyens vers le précipice. Tenter de les détruire coûte que coûte. Les poursuivre partout de sa malédiction. Je ne sais pas si Samira Saïd a couché ou non avec ces pétrodollars, mais elle a eu en tout cas raison de partir, quitter le Maroc, foutre le camp. On ne peut pas réussir au Maroc. On fait tout pour vous arrêter, vous contrôler, vous maintenir petit, petite. Là-bas, on vous oblige à vous prostituer, on vous prend votre argent, et, après, on vous renie, on vous traite de salope, de femme indigne, de mécréante. Mais ce sont eux les mécréants. Des êtres sans cœur. Je suis sûre que Samira Saïd n'a pas fait ce film porno. Les Marocains, enragés, maintenant qu'ils n'ont plus prise sur elle, ont inventé cette histoire. Ils ne comprennent pas qu'on aille ailleurs et qu'on s'y épanouisse. Cela les dépasse. Tout de suite on vous considère comme un traître. Elle a eu raison de partir et d'aller contre tous. D'aller loin. Et si, pour eux, réussir c'est devenir une pute, alors toutes les Marocaines sont des putes. N'est-ce pas ? »

Les femmes égyptiennes qui attendaient leur tour écoutaient la bouche ouverte cette intervention très politique de ma mère.

Le coiffeur n'en revenait pas. Il sentait qu'il avait presque réussi dans sa mission. Il a fait, en ironisant légèrement, un compliment à ma mère : il lui trouvait un air d'intellectuelle.

« Tu plaisantes, mon chéri ! Moi, une intellectuelle ?! Une pute, oui ! Et même officiellement une pute. Intellectuelle, jamais ! Les livres et les idées, je les laisse aux autres, à cet autre monde qui doit nous mépriser encore plus que les riches. Pute, oui, je l'assume depuis toujours. Femme savante : jamais de la vie ! »

La franchise de ma mère dérangeait. Une des femmes s'est levée et, après lui avoir jeté un long regard très sévère, elle a quitté le salon en rouspétant.

« Oh ! Pardon, pardon, mesdames. Pardon. Je parle trop librement. Les Marocaines sont-elles trop libres pour vous ? Je vous choque ? Vous n'avez jamais entendu quelqu'un parler comme moi ? Une femme doit-elle fermer sa gueule en permanence ? Même au Caire ? »

Le coiffeur ne leur a pas laissé le temps de répondre. Il a proposé quelque chose d'autre. Un moment de détente.

« Et si on mettait une chanson de Samira Saïd ? Son hit de 1985, par exemple. *Je ne renoncerai jamais à toi*. D'accord ? D'accord, mes chéries ? D'accord ? Cela ne vous dérange pas ? Et ensuite on en discute. On verra si cette Marocaine révolutionnaire va enfin laisser son cœur s'attendrir sur sa compatriote… D'accord ? D'accord ? On dit que la musique apaise les âmes. N'est-ce pas ? Allez ! Allez. Écoutons Samira Saïd… »

Les autres femmes ont souri gentiment.

Ma mère a baissé les yeux.

Le coiffeur a appuyé sur Play.

*Je ne renoncerai jamais à toi* a commencé.

Ceux qui ne la connaissaient pas encore s'attendaient à une chanson légère, facilement oubliable. C'était le contraire d'une chanson futile. Dès la première note la guerre était déclarée. Une femme, Samira Saïd, n'avait pas peur de se répéter, de dire maintes fois les mêmes mots, de mener seule un combat. Celui de l'amour, bien sûr.

*Toi qui par ton amour as donné à ma vie un goût, une couleur*
*Je ne renoncerai jamais à toi, quoi qu'il arrive*
*Quoi qu'il arrive*

*Et même si un mot a été dit avec colère*
*Et qu'il a blessé notre cœur*
*On oubliera sa tristesse*
*Et qui de nous deux l'a prononcé*
*C'est par l'âme que nous nous aimons*

*Nous resterons toujours ensemble*
*Toute notre vie nous resterons ensemble*
*Quoi qu'il arrive*

*Je t'ai aimé*
*Quand je t'ai trouvé*
*Devant mes yeux un rêve lointain*
*Il était dans mes yeux*
*Hors d'atteinte pour moi*
*Et le moment d'après je l'avais dans ma main*

*Qui choisit de son plein gré de sortir du paradis ?*
*Pourquoi de nos propres mains détruire nos espoirs*
*Et passer le reste de notre vie à regretter ce qui nous est arrivé ?*

*Toi qui par ton amour as donné à ma vie un goût, une couleur*
*Je ne renoncerai jamais à toi, quoi qu'il arrive*
*Quoi qu'il arrive*

*Jamais*
*Jamais*
*À toi*
*Quoi qu'il arrive*

Nous avions le souffle coupé.

La chanson avait duré presque sept minutes. Elle était tellement puissante. Et la voix de Samira Saïd tellement dans la guerre. Jusqu'au bout. Jusqu'au dernier souffle. Elle chantait avec sa voix et son corps. Elle prononçait les mots comme s'ils étaient des coups de canon. Elle réinventait l'arabe, la façon de dire les mots arabes, égyptiens, de les chanter. Douter de la sincérité de cette chanteuse semblait impossible. Tourner le dos au combat que cette femme continuait de mener inlassablement était inimaginable. Son amour était pour un homme. On en était sûr au début. Puis, plus elle chargeait, plus elle se répétait, moins on en était certain. L'amour, cet amour grand et sublime dont elle s'emparait avec une force incroyable, ne pouvait pas être dirigé seulement vers un homme, inspiré uniquement par un homme. Ce combat allait au-delà de l'homme, de tous les hommes.

Après la chanson, ma mère, comme si elle lisait dans mes pensées, a pris la parole.

« L'homme dont elle parle dans cette chanson n'existe pas. Aucun homme ne peut arriver à cette hauteur-là, ne mérite un tel amour, un tel sacrifice. »

Les autres dans le salon n'ont pas compris.

Le coiffeur, toujours provocateur, s'est penché sur ma mère, a pris ses cheveux dans ses mains et chuchoté dans ses oreilles :

« Alors, tu ne l'aimes toujours pas, Samira Saïd ? »

Ma mère s'est tournée de mon côté. M'a souri sans vraiment me sourire.

« Je veux devenir blonde. Teindre mes cheveux en blond. Maintenant. Tu me le fais, s'il te plaît... »

Que lui arrivait-il ? Quel rapport avec Samira Saïd, qui était une vraie brune ?

Le coiffeur, désarçonné, a essayé un petit conseil :

« Mais... voyons... ma chérie... On est à la fin des années 80, voyons ! Les blondes ne sont plus à la mode. C'est ringard, une blonde... Reste dans la force, le noir, comme Samira Saïd. Tu n'as pas le droit de la trahir. De la laisser tomber... encore une fois... »

Ma mère m'a regardé de nouveau. Je lisais dans ses yeux les mots qu'elle s'apprêtait à prononcer. Elle avait peut-être changé d'avis sur Samira Saïd mais, au fond d'elle-même, depuis plusieurs années, sa fidélité première, essentielle, allait à une femme en particulier. La femme de toujours. La sœur de toujours. Celle qu'elle m'avait fait découvrir et aimer au Maroc, à Salé, à travers un film. Notre film. *River of No Return*. Une actrice blonde et orpheline.

« Je veux devenir blonde, mon ami. Maintenant. C'est un ordre. Blonde. Tu comprends ? Blonde comme... comme... comme... »

Elle a hésité deux ou trois secondes. Tout le monde dans le salon de coiffure était suspendu à ses lèvres.

Blonde comme qui ?

« Blonde comme Marilyn Monroe. Exactement comme Marilyn Monroe. »

Personne n'a osé contester ce choix.

Marilyn Monroe avait aussi une place spéciale, sacrée, de ce côté-ci du monde arabe. Le Caire, le centre des productions cinématographiques arabes, avait ses stars mythiques, mais cette ville, comme nous tous, conservait un souvenir tendre, pieux, sincère, de la blonde Américaine.

# 2

Même quand le muezzin appelait à la prière, ils ne me lâchaient pas, ils continuaient de me torturer, de me violer.

J'étais de l'autre côté du fleuve Bou Regreg, à Rabat. Je voyais notre rive, notre ville, Salé. Je voyais même le château d'eau à l'entrée du quartier de Bettana. Et, au-delà de Bettana, notre quartier de Hay Salam.

Ce n'était pas un rêve, Jallal. C'était un cauchemar. Vrai. Réel. Interminable.

Je croyais que j'allais mourir. J'en étais sûre. J'ai alors pensé doucement à toi, mon Jallal. À notre soldat qui venait de partir à la guerre au sud du Maroc.

Les musulmans n'existent pas.

Il n'y a plus de musulmans, mon fils.

Tu comprends ? C'est fini. Il est hors de question de revenir en arrière. Quitter Le Caire ? Revenir au Maroc ? Jamais ! Tout ce qu'ils m'ont fait, toute cette haine qu'ils ont déversée sur moi… J'avais beau crier, hurler, cela n'a à aucun moment attendri leur cœur pour moi. J'étais la vache par terre : les couteaux étaient de plus en plus nombreux. Que des hommes ! Que des hommes, bien sûr ! Ils disaient que, puisque j'étais une pute assumée, il fallait me traiter en pute. M'honorer ainsi. Me violer du matin au soir. Au milieu de la nuit. À tout moment.

Ils n'ont pas commencé tout de suite par le viol, pourtant. Ils étaient même gentils au début, courtois. Faussement doux. Bien élevés. Bien habillés. Cela se passait dans un vrai bureau. Je voyais, à travers les fenêtres, le ciel et le monument phare de Rabat, la célèbre tour Hassan où le père du roi Hassan II, Mohamed V, est enterré. Tu la connais ? Tu t'en souviens ? J'entendais la vie régulière des autres qui continuait en bas. J'entendais une dame qui criait après sa petite bonne de temps en temps. Et j'entendais l'ascenseur qui fonctionnait sans cesse.

On m'a offert à plusieurs reprises du thé à la menthe, des cornes de gazelle et même un mille-feuille délicieux. C'était le meilleur mille-feuille que j'avais jamais mangé de toute ma vie. Je l'ai dit à un des trois hommes qui m'interrogeaient. Je n'oublierai jamais sa réponse :

« C'est le mille-feuille du palais royal. »

J'ai eu très peur alors. Un courant de peur froid m'a traversée tout entière.

J'ai saisi enfin ce qui m'attendait. Et je me suis d'un coup souvenue de certaines histoires horribles, terrifiantes, que me racontaient de temps en temps mes soldats de Hay Salam.

Je n'ai pas terminé le mille-feuille. Il n'avait plus le même goût.

Cela me dégoûtait d'être dans le même panier, sur le même rang, que les gens du palais royal.

Les trois hommes ont compris ce dégoût qui s'était emparé de moi.

On est alors passé d'un registre à l'autre. En un clin d'œil.

« Tu sais où tu es, n'est-ce pas ? Tu sais qui nous sommes. N'est-ce pas ? »

J'ai pensé à toi, mon fils, mon petit Jallal. Très fort. Et je t'ai dit au revoir et adieu. Je ne voulais pas t'associer mentalement à l'enfer qui ouvrait grand ses portes devant moi.

Au revoir, mon fils. Au revoir, mon petit. Je regrette de t'avoir mis au monde. Je le regrette. Crois-moi, je le regrette. Maintenant tu vas vivre seul, errer seul, et personne ne te donnera à manger. Au revoir, mon âme. Mon complice. Mon protecteur. Mon petit frère. Au revoir. Va. Va. Va loin d'ici. Fuis. Fuis. Fuis-les tous. On se retrouvera un jour ou l'autre. Tous. Je retrouverai ma mère Saâdia, celle qui m'a adoptée, et toi. Un jour. Dans un autre monde. Au revoir. Au revoir, Jallal. Au revoir, Jallal.

« Tu ne dis rien… Lève les yeux… Oui, comme ça, c'est bien… Comme ça… Je suis Melloul. Lui s'appelle Hammadi. Et le troisième, Sabti. Et toi ? Slima est ton vrai prénom ? »

J'ai perdu la mémoire.

J'ai gardé le silence. Un moment.

Je n'étais plus une prostituée. Je ne faisais plus la prostituée. Il me fallait inventer un autre personnage. Et surtout enfouir dans un puits inconnu les rares secrets que le soldat de Hay Salam m'avait confiés avant de partir à la guerre au sud du Maroc. Les oublier, même.

Ils étaient plus intelligents que moi, ces trois hommes. Ils lisaient dans mon esprit.

« Il est mort, ton soldat. On a jeté son corps dans la mer. Pourquoi était-il contre le Sahara marocain ? Il travaillait pour le Polisario. Tu le savais, n'est-ce pas ? Tu le sais. Nous savons que tu le sais. »

Résister aux hommes assoiffés de sexe, c'est mon métier. Ne leur donner que ce que je veux. Peu. Très peu.

Mais comment résister à la police secrète ?

Autant te le dire tout de suite, mon fils, je n'ai pas pu résister. Je n'ai pas su.

Ce n'étaient pas des hommes. C'étaient des bouchers. Des monstres.

Ils n'étaient pas assoiffés de sexe comme les autres hommes. Seul le sang, le sang qui coule longtemps, les intéressait, les passionnait.

J'ai baissé la tête. Je suis redevenue la petite fille perdue dans le mausolée du saint à Rhamna. Avant que ma mère Saâdia m'adopte.

Ils ont tous enlevé leur veste. Ont retroussé les manches de leur chemise.

Ils se sont rapprochés. Ils étaient debout. En cercle autour de moi.

J'étais assise au milieu de la pièce. Sur une chaise. J'avais encore un verre de thé à la menthe à la main.

L'un des trois hommes a tendu son bras, m'a pris le verre, a fini le peu de thé qui y restait et l'a déposé par terre.

La guerre a commencé vraiment à ce moment-là.

« Il s'appelle comment ton soldat ? »

Il n'avait pas de prénom, notre soldat. N'est-ce pas, mon fils ? Ni de nom, d'ailleurs. Il était un soldat. Le soldat.

Nous recevions beaucoup de soldats chez nous. Je me souviens de leur nom, à tous. On n'a jamais éprouvé le besoin de savoir son prénom à lui. Il était soldat. Et voilà.

Je ne sais pas son nom. Je ne l'ai jamais su.

Ils n'ont pas voulu me croire.

Ils ont posé la même question dix fois. Vingt fois. J'ai répondu la même chose chaque fois.

C'est alors que j'ai reçu ma première gifle.

Il s'est avancé vers moi. Il a répété ce que l'autre avait dit, qu'il s'appelait Hammadi. Et il m'a giflée.

Je suis tombée de ma chaise. Ma tête a heurté violemment le sol. J'étais sonnée. Je n'ai pas perdu conscience. Ils se sont rapprochés davantage de moi, tous les trois. Et ils ont laissé parler leurs yeux.

J'ai lu en eux tout ce qui m'attendait. L'enfer. Et ses supplices raffinés.

Qu'allais-je faire ? Que pouvais-je faire ?

Trahir le soldat ?

Non. Jamais.

Tu aurais fait la même chose que moi, Jallal. Nous lui devons tellement de choses ! Il a été la plus belle surprise de notre vie. Notre famille. Ton père. Ton grand frère. Mon ami. Mon mari. Il nous a protégés.

Donné à manger. Il nous a apporté des fruits, des images, de la tendresse.

Tu te souviens de tout cela, mon Jallal ?

Il est encore en toi, le soldat blanc, fassi ?

Ne l'oublie pas. Ne commets pas ce crime. N'entre pas dans cette trahison.

« Il est parti à la guerre. Au sud. Au Sahara. Se battre contre le Polisario. C'est tout ce que je sais. »

Encore allongée par terre, j'ai osé cette réponse, cette révélation, qui n'en était pas une.

Cela ne leur a pas plu. Pas du tout, même.

« Tu te moques de nous, salope ! Tu nous prends pour des gamins. Nous savons tout. Tout ! Mais nous voulons des aveux. Avoue ! Avoue tant qu'il en est encore temps. Pour l'instant tu es dans un bureau en plein centre de Rabat. Qui sait où tu seras cette nuit ?… Avoue… Dis tout ce que tu sais sur le soldat… Sa famille à Fès… Ses amis à Fès… Ses stratégies… Ses opinions… Et pourquoi il avait décidé de participer au complot… »

Celui qui s'appelait Hammadi s'est baissé jusqu'à moi et m'a crié aux oreilles ses phrases dangereuses. Au moment de prononcer le mot « complot », il m'a pris le lobe de l'oreille gauche et l'a pincé extrêmement fort.

J'ai hurlé comme une damnée.

« Ce n'est que le début, malheureuse. Avoue… Avoue… »

J'ai osé encore une fois :

« Le complot ? Mais de quel complot parlez-vous, monsieur ? Un complot contre qui ? »

Sa réponse a été cinglante. Terrifiante. Il vociférait.

« Tu te fous de nous !… Un complot contre le roi Hassan II… Contre le Maroc… Contre nous tous… C'est l'anarchie que tu veux, le retour de l'anarchie ? Parle… Parle !… Dis tout ce que tu sais… Tout !… Le soldat et ses amis… »

Les deux autres se sont baissés à leur tour vers moi. Je sentais leur haleine à tous. La même. Une haleine de gros fumeur de cigarettes, de la marque Favorites.

Comme je ne disais rien, un des trois a attrapé mes cheveux et les a tirés violemment.

Je n'ai pas crié.

« Je ne suis qu'une prostituée. Le soldat était un de mes rares clients. Il venait de Fès. Il était beau. Très beau. Il n'avait pas besoin de me payer. Il pouvait venir quand il voulait. Ma porte lui était toujours ouverte. Il participait à sa manière à… »

Une gifle empoisonnée s'est abattue sur ma joue. Je ne savais pas qui me l'avait donnée.

« Ton histoire d'amour avec le soldat, tu te la gardes pour toi, salope ! Compris ? »

Compris. Oui, compris.

« Que racontait-il à ton fils ? La haine du roi ? La haine du Sahara marocain ? »

Je suis entrée définitivement dans le silence à ce moment-là.

Je savais des choses, bien sûr. J'avais entendu des choses, bien sûr.

Pour eux, le Maroc était une fiction sacrée. Pour moi, le soldat était ma patrie à moi. À toi et à moi.

« On va passer aux choses sérieuses. On n'a pas le choix. Vous êtes d'accord, les amis ? On lui fait

*Lawrence d'Arabie*. Qu'en pensez-vous ? C'est bien, pour commencer… Non ? »

*Lawrence d'Arabie*, je ne savais même pas ce que c'était, à l'époque.

Aujourd'hui je le sais. Et je n'ai pas besoin de regarder le film de nouveau.

Ils m'ont relevée. L'un d'eux a violemment déchiré ma longue chemise de nuit. Je n'avais plus que mon slip sur moi.

L'un a pris mon sein gauche. L'autre le sein droit.

Le troisième a reculé.

« Allez-y… »

Ils ont commencé à me caresser les seins. Lentement.

« C'est bon ? Cela te plaît ? »

Puis ils ont saisi mes tétons et les ont pincés doucement au début et, d'un coup, très violemment. Longuement et très violemment.

Je me suis évanouie, je crois.

Ils m'ont réveillée.

Une chaise longue m'attendait. Ils m'ont allongée dessus sur le ventre.

Le premier m'a pris les poignets et a tiré mes bras très fort.

Le deuxième s'est assis sur mes mollets pour me maintenir immobile.

Le troisième, le chef, avait une longue et mince tige de bambou entre les mains.

« Tire-la fort par les poignets ! Je veux qu'elle pleure du sang… Et toi, maintiens-la, qu'elle ne bouge surtout pas… Allez, les gars, au boulot… »

Ce supplice paraît simple, pas vraiment dangereux. Pourtant, c'était le pire.

À chaque coup de bambou mon âme sortait de mon corps un petit instant et y revenait.

Je levais la tête. Le premier homme me souriait gentiment.

Je la tournais en arrière. Le deuxième faisait pareil.

Ils rejouaient avec moi, sur mon corps, une scène du film *Lawrence d'Arabie*.

Ils s'amusaient. Ils s'encourageaient.

Le chef était satisfait.

« C'est parfait, les amis. Cette fois, tout le monde est entré immédiatement dans la peau de son personnage, y compris notre jolie pute… Préparez-vous… Scène I, deuxième prise… Action ! »

J'aurais aimé pouvoir mourir à ce moment-là, partir, voyager dans l'au-delà. J'aurais aimé pouvoir crier pour me soulager.

À la place, je pleurais. Du sang. Comme leur chef l'avait exigé.

À la fin de cette séance de torture, ils m'ont enlevé même le slip et ont introduit le bambou entre mes…

Je ne sentais plus rien à ce moment-là. Ma chair était morte.

Mais pas moi.

« Tu parleras, salope ! Tu parleras, pétasse ! On ne trahit pas le Maroc impunément. Tu diras tout. Les soldats. Les officiers. Les sous-officiers. Et tu parleras même du général. Le général Dlimi. On sait qu'il venait lui aussi chez toi. »

Ils avaient écrit leur propre fiction. Et ils voulaient que j'y entre malgré moi.

« Le général Dlimi est venu effectivement une fois chez moi. Comme client. Pas plus. »

Ils n'ont pas voulu me croire, bien sûr.

Puis ils ont posé des questions sur les préférences sexuelles du général.

J'ai dit que je ne trahissais jamais les secrets de mes clients.

« Elle est honnête, la salope. Elle la joue honnête… Les prostituées sont honnêtes maintenant ? Depuis quand ? »

Depuis toujours.

J'ai répondu au fond de moi-même. Et j'ai essayé de trouver quelque chose d'intéressant à leur révéler sur lui.

« Il aime la sodomie.

– Tu crois nous apprendre quelque chose ? Tous les Marocains aiment la sodomie…

– Vous aussi ? »

Ils se sont regardés. Ont éclaté de rire. Ont ri très longtemps.

« On va lui faire *Lawrence d'Arabie 2*, maintenant. Qu'en pensez-vous ? »

Le chef, Sabti, s'est assis sur mes fesses nues.

Hammadi s'est mis du côté droit de mon corps. Jelloul du côté gauche. Chacun d'eux a pris un de mes bras et a tiré le plus loin possible.

Et le chef a ouvert sa braguette.

Une partie de moi-même alors a éclaté. A été pulvérisée. Anéantie. À jamais.

La douleur dépassait tout ce que je pouvais imaginer.

Mon corps, tout entier, n'était plus que souffrance atroce.

On me démembrait.

On me fouettait.

On me crachait dessus.

On me violait.

Tout cela en même temps.

Je ne criais pas. Je n'en avais plus la force. J'ouvrais grand ma bouche. Aucun son ne sortait. Aucune vie. Juste le désir de mourir. Et une pensée pure, une prière finale, pour toi, mon fils.

Le dernier nom qui est entré dans ma mémoire, juste avant que je m'évanouisse complètement, est celui-ci, effrayant : El-Hadj Kaddour el-Yousfi.

Le plus grand tortionnaire officiel du royaume du Maroc.

Le nom, terrible et célèbre, de cet homme, de ce boucher, de ce bourreau, m'a fait tellement peur que j'ai fini par partir ailleurs pour de bon.

Ce fameux tortionnaire n'était pas là, devant moi, à côté de moi, quand je me suis réveillée.

Je ne savais pas où j'étais. Je ne le saurai jamais.

Le noir partout. Partout.

Le noir et la nudité. Mon corps nu.

Le noir, la nudité et des bruits d'animaux qui venaient du plafond et sans cesse tapaient sur et dans mon crâne.

Le calme comme dans un hammam abandonné et, toutes les cinq minutes, une tempête de bruits infernaux : des bêlements, des beuglements, des aboiements, des cris de toutes sortes.

Des animaux qu'on s'apprêtait à achever et qui, dans un dernier souffle, un dernier espoir, lançaient un appel désespéré, attendrissant, monstrueux, obsédant.

J'ai fini par comprendre, au bout de quelques jours, que c'était un enregistrement qui se déclenchait automatiquement toutes les quinze minutes. De jour comme de nuit.

J'ai cru que jamais je ne m'y habituerais, à ce vacarme, à cette guerre au plafond, dans ma tête.

Pendant combien de temps n'ai-je pas dormi ? Un mois ? Deux mois ?

L'éternité, sans doute.

J'ai cru que je ne survivrais pas à ces bruits d'apocalypse. Et pourtant, dans mon effondrement physique total, dans ma déchéance, ma mort lente, un miracle s'est produit. Ne m'ayant pas tuée, ces bruits ont fini par devenir mes accompagnateurs. Mes repères. Mes amis. Je les reconnaissais tous, un par un, ces animaux fictifs, ces voix dans l'agonie. Je les appelais même, parfois. Je devenais, petit à petit, folle avec eux, avec et par eux.

Je parlais.

Ce sont elles, ces voix, qui m'ont permis de parler. Encouragée à le faire.

Parler. Parler. Parler. Enfin.

Tu m'as connue dans le silence, Jallal. Dans l'action sans paroles.

Là-bas, loin, entre deux mondes, près du bourreau El-Hadj Kaddour el-Yousfi, j'ai crié des mots. J'ai murmuré, chuchoté, caressé des mots.

Je parlais aux animaux.

Les animaux me parlaient.

Tu me crois, mon fils à moi ? Tu me crois, petit Jallal ?

Je ne pouvais rien faire d'autre. Je suis analphabète. Pas cultivée.

J'ai communiqué avec des animaux qui n'existaient pas. Ils me tuaient et me libéraient. Grâce à eux, j'ai finalement pu résister à la torture.

Le Sahara. Le Polisario. Le général Dlimi qui voulait assassiner le roi Hassan II. Les soldats comploteurs qui me rendaient visite. Les discussions politiques. J'ai fini, comme tu peux facilement le deviner, par tout avouer.

Mais je l'ai protégé, lui. Je le jure. Je te le jure. Ne m'en veux pas, mon fils. Ton soldat, je n'ai rien dit sur lui. Contre lui. Contre son âme. Contre le souvenir sacré de son passage chez nous. Rien. Rien.

J'ai exagéré mes révélations sur les autres pour le protéger, lui. Même mort, au fond de l'océan où ils l'avaient jeté, je l'ai caché, lui. Je l'ai gardé vivant, lui.

Il était vivant. Il était vivant.

Où, vivant ?

Je ne le savais pas. Mais il était vivant.

Le jour où ils m'ont laissée sortir, El-Hadj Kaddour el-Yousfi, d'une voix paternelle, curieusement douce, m'a dit :

« Mes condoléances, madame. Ton soldat est mort. Mort pour le Maroc en défendant le Sahara marocain contre nos ennemis, le Polisario et l'Algérie qui le soutient. Toutes mes condoléances. »

Le jour de ma libération a été le jour d'une autre mort. La confirmation de la mort du soldat.

J'ai craché alors sur ce tortionnaire légendaire.

Il n'a rien fait. Il n'en avait plus le pouvoir, peut-être.

Il était sûrement fatigué, au-delà de la fatigue, par toutes ces tortures qu'il avait infligées à tant et tant de corps. Des Marocains jeunes, vieux, qui avaient un idéal pour le pays et que, lui, a réduits au néant.

Il arrêtait l'Histoire.

Il avait tué tellement de monde, pris tellement d'âmes. Éteint la lumière dans tellement d'yeux. Mon crachat sur sa figure était sans doute un soulagement pour lui.

« Ton soldat est mort en 1986. Bien avant ton arrestation. »

Pourquoi m'avaient-ils torturée, alors ? Qui en avait donné l'ordre ? Le ministre de l'Intérieur Driss Basri ? Le roi lui-même ?

J'ai craché une deuxième fois sur lui.

Il n'était plus rien, ce tortionnaire, ce serviteur plus soumis que tous les Marocains réunis.

Et je l'ai défié du regard.

Ses yeux étaient morts.

« Pars, ma fille. Pars avant qu'il ne soit trop tard. Quitte ce pays. Quitte ce Maroc où il n'y a plus de place ni pour toi ni pour moi. Pars. Pars… »

Il a versé une larme. D'un seul œil.

Il ne pleurait que d'un seul œil. L'œil gauche.

Il n'était pas très vieux. La cinquantaine. Il en paraissait le double.

Tout le mal et toutes les horreurs qu'il avait commis lui revenaient. L'obsédaient. Lui faisaient même peur.

Il payait.

Mes crachats ont dû lui faire un peu de bien.

« Pars. Pars. Ne reviens jamais. Jamais. Même tes voisins, les Oufkir, ont fini par partir, s'échapper. Pars. Pars… »

C'est comme ça que j'ai su que, pendant ces trois années où on m'avait laissée croupir dans une prison inhumaine, j'avais eu pour voisins les enfants du général Oufkir, qui avait tenté, dans les années 70, de tuer Hassan II, deux fois.

Tu connais les Oufkir ?

Non ?

Ce n'est pas grave.

En sortant de ma prison, je me suis retrouvée dans une vallée. C'était le printemps. Il y avait des roses partout. De l'ocre partout. J'ai reconnu le sud du Maroc alors que je n'y étais jamais allée auparavant. J'ai reconnu les ksour. Les amandiers. Les palmiers. Cette beauté irréelle. Le paradis. Vraiment le paradis.

J'ai trouvé un oued.

Je me suis assise.

J'ai pleuré le soldat.

J'ai pensé autrement au soldat.

J'ai convoqué un souvenir heureux. À trois. Nous trois.

*River of No Return.*

Une seule scène m'est venue à l'esprit.

Tu la connais par cœur, Jallal, je le sais. Comme moi. Comme lui.

C'est la fin du film.

Marilyn Monroe, le cow-boy et le garçon ont réussi à traverser le fleuve. Ils ont vécu l'enfer, ont survécu aux attaques des Indiens et des brigands. Ils sont maintenant dans la ville. Marilyn les quitte pour aller chercher son mari, qui a trahi le cow-boy au début du film en essayant de le tuer et en lui volant son cheval. Elle le retrouve en train de jouer au poker. C'est un bellâtre qui ne se soucie plus d'elle. Il l'a déjà oubliée. Elle le prévient que le cow-boy est à sa recherche. Il va se venger. Le bellâtre sort dans la rue, va vers le cow-boy et pointe son arme sur lui. Marilyn essaie de l'en empêcher. Il la jette par terre. Il va tirer sur le cow-boy, qui n'a pas d'arme. Il tire. Pendant un instant, c'est ce qu'on croit. Mais, en fait, c'est quelqu'un d'autre qui a tiré, non pas sur le cow-boy mais sur le bellâtre. Il tombe. Marilyn réapparaît, se précipite vers le petit garçon : c'est lui qui a sauvé son père. Le petit garçon pleure. « Je n'avais pas le choix… Je n'avais pas le choix… » Marilyn le prend dans ses bras : « C'était lui ou ton père… Tu n'avais pas le choix… »

Le fils ainsi rejoint son père : ils jouent maintenant tous les deux le même drame. Le père a fait de la prison parce qu'il avait tué un homme, en lui tirant dans le dos. Le fils, tout au long du film, a reproché à son père cette lâcheté. Le cow-boy s'est justifié plusieurs fois. Le fils ne le croyait pas.

La fin du film réconcilie ces deux cœurs dans la même tragédie.

Pour sauver sa peau, on peut être obligé de tuer à un moment ou à un autre. Tuer l'autre pour survivre.

Marilyn prend le petit sac où elle protège soigneusement ses chaussures rouges à talon qui lui servaient pour ses spectacles de cabaret. C'est tout ce qui lui reste de son passé.

Elle se dirige vers le saloon de la ville.

Elle retourne à son passé. À ce qu'elle sait faire.

Assise sur un piano, habillée d'une belle robe dorée qui laisse voir ses magnifiques jambes, triste, elle chante *River of No Return* d'une manière déchirante. Tragique. Son visage est alors terriblement beau et ses yeux incroyablement doux.

Elle est sexy, sexuelle, mais ce qui sort d'elle, ce qui s'exprime à travers elle, est tellement tendre. Beau, tendre. Enfantin, tendre.

Les clients dans le saloon le comprennent. Les hommes et les rares femmes se rapprochent d'elle et, par leurs regards compréhensifs, la soutiennent. Silencieux, ils chantent avec elle.

Je me suis souvenue de tout cela. Et, moi aussi, j'ai chanté.

On l'applaudit à la fin avec ferveur.

Le cow-boy, notre cow-boy, apparaît alors. Il traverse cette foule aimante, arrive jusqu'à Marilyn. Ils se regardent, une seconde ou deux. Ils savent. Inutile de parler. Durant le voyage sur le fleuve infernal, des sentiments entre eux sont nés. Inutile de résister. Il y a une chance à tenter. Essayer de continuer à vivre à trois. Retrouver l'intimité du radeau.

Le cow-boy soulève Marilyn. La jette sur son épaule gauche. Elle fait semblant de protester. Il sort du saloon, la dépose sur la voiture à côté du petit garçon et lui donne sa veste pour se couvrir.

Elle lui dit : « Où allons-nous ? »

Il répond : « Chez nous. »

J'ai frissonné.

Une larme a coulé.

La voiture se met en branle et quitte la ville. En passant à côté du saloon, Marilyn enlève ses chaussures à talon rouges et les jette par terre.

La caméra reste sur ces chaussures. Je tends la main. Je les prends. Je n'ai pas de cow-boy. Je vais devoir reprendre mon métier d'avant. Dans les chaussures de Marilyn. Dans sa peau. Sa lutte. Sa tristesse. Sa tragédie. Et, malgré tout, dans l'espoir.

La voiture s'éloigne. Des voix d'hommes viriles arrivent. Elles chantent de nouveau *River of No Return*. C'est solennel. C'est une prière grandiose.

L'émotion est encore forte. Elle ne retombera pas. Le voyage continue. Les larmes ne s'arrêteront jamais.

Les chaussures rouges de Marilyn me vont bien.

Je les essaie encore. Et encore.

Je suis au sud du Maroc. Je viens de sortir de prison.

Je me lève.

Je marche.

À côté de Marilyn.

Comme elle.

Avec sa voix.

Avec sa peau blanche, pâle.

Je cours.

Elle court avec moi.

Un muezzin se met soudain à appeler à la prière. Je pense immédiatement à mes tortionnaires, que ces appels vers Dieu excitaient encore plus, qui leur donnaient comme un encouragement pour me violer encore plus fort. Sans relâche. Sans pitié. Pour rien. J'avais déjà tout avoué. On me gardait pour le plaisir de me détruire complètement.

Il était midi.

L'autre bourreau, El-Hadj Kaddour el-Yousfi, devait être en train de faire la même chose. À une autre. Ou un autre.

Là-bas, mon fils, j'ai compris, je te le dis et je te le redis : il n'y a plus de musulmans. Il n'y a que des esclaves obéissants, sans cœur, assoiffés de pouvoir, de sang, de sperme, de cris.

J'ai pris les chaussures rouges de Marilyn. Et je suis partie. Vers Agadir.

Je savais que je trouverais dans cette ville touristique des sœurs, des égarées comme moi, des sacrifiées comme moi. Des mortes vivantes. Des saintes.

Trouver du travail. Mon ancien travail.

Et préparer le départ. Avec détermination.

Le plus rapidement possible.

Fuir au Caire.

Te retrouver, mon fils, mon Jallal, au Caire où, juste avant qu'on m'arrête, j'avais réussi à t'envoyer, avec l'aide miraculeuse d'un de mes riches clients.

Brûler mon passeport marocain.
Brûler ma carte d'identité marocaine.
Renaître pour toi, Jallal. Pour nous.
M'accrocher à ce rêve : Marilyn.

# 3

« Appelez-moi… Mouad…

– Mouad ? !

– Mon vrai prénom est Jean-Marie… Mais appelez-moi, s'il vous plaît, Mouad.

– Mouad… Mouad…

– Vous aimez ce prénom ?

– C'est un prénom d'avant… avant l'islam…

– Je sais.

– Vous connaissez l'islam ? Vous êtes musulman ?

– Je suis belge. De Bruxelles.

– Et… que faites-vous au Caire… ?

– Mouad… appelez-moi Mouad…

– Très bien. Mouad.

– Et vous ?

– Moi ?

– Votre prénom ?

– Slima.

– Enchanté, Slima.

– Enchantée, Mouad ! On boit un verre ?

– Je ne bois pas.

– Vous ne buvez pas ?

– Non, je ne bois pas.

– On ne boit pas chez vous, en Belgique ?
– Si, on boit beaucoup en Belgique. Pas moi.
– Depuis toujours ?
– Depuis cinq mois.
– Cela ne vous manque pas ? Le vin est bon…
– Je viens de rentrer de La Mecque.
– Pardon ?
– Je suis devenu musulman… Un peu musulman…
– La Mecque, vraiment ?
– Je travaille en Arabie saoudite depuis dix ans. Je suis tombé amoureux du désert de l'Arabie.
– Comme Lawrence d'Arabie.
– Oui, comme lui. Vous connaissez Lawrence d'Arabie ? On vous l'apprend à l'école ?
– Oui, c'est cela, à l'école. Une école bien marocaine.
– Et le français ?
– J'ai appris à le baragouiner avec mes clients. Les étrangers surtout.
– Je comprends.
– Vous êtes mon premier Belge.
– Tout l'honneur est pour moi.
– Vous avez du Doliprane avec vous ? Le Doliprane fabriqué en Europe, pas celui d'ici qui ne sert à rien…
– Oui, j'en ai… Plusieurs boîtes, même… Vous aussi, vous avez souvent mal à la tête ?
– Tout le temps.
– On va chez moi… »

J'ai rencontré Slima à l'hôtel Semiramis.

Insomniaque chronique, j'étais venu au casino de cet hôtel pour tuer le temps, ne pas laisser la déprime me gagner plus encore qu'avant.

Elle était belle. Mais abîmée. Petite. Très petite. Au-delà de la fatigue.

Elle aurait dû se retirer depuis longtemps. Elle ne pouvait sans doute pas se le permettre.

J'étais entré dans le casino, rempli de riches Arabes du Golfe et de prostituées, toutes marocaines et très maquillées.

Elle était au centre d'un groupe de femmes qu'on ne pouvait pas rater. Elles riaient toutes d'une manière provocante, sensuelle, vulgaire, excitante. Elles fumaient toutes. Sauf elle. Des hommes des pays du Golfe leur tournaient autour. Il était 2 heures du matin. Mais, au Caire, la nuit ne faisait que commencer.

Les Marocaines étaient des professionnelles. Elles savaient y faire. Tous les hommes présents au casino n'avaient d'yeux que pour elles.

Moi aussi.

J'avais le goût des Marocaines depuis plus de vingt ans.

Je vivais et travaillais à Djeddah, en Arabie saoudite. Et je venais passer mes week-ends au Caire le plus souvent possible.

Pour les Marocaines.

Je les aimais vraiment. Sincèrement. Je ne pourrais pas expliquer ce mystère, cette attraction extraordinaire que je ressentais pour elles, le bien-être que j'éprouvais quand j'étais à côté d'elles, dans leurs bras. Certaines me trouvaient fou. Ce désir pour les Marocaines était fou, oui. Et j'adorais cela, être perdu avec elles, nu différemment, librement, grâce à elles.

C'étaient des prostituées. Mais je ne voulais pas les juger. Pourquoi d'ailleurs les juger ? De quel droit ? Le plus méprisable, le plus pathétique, c'était moi. Le plus atrocement seul, c'était moi. À Djeddah, c'était pire : la solitude jour et nuit. Il n'y avait autour de moi que des hommes. Que des hommes. Je ne suis pas homophobe. Je n'ai rien contre les homosexuels. Mais, moi, j'ai besoin des femmes, toutes les femmes. En Arabie saoudite, elles n'existent pas. Au Caire, heureusement, il y avait les Marocaines. La vie en elles, en moi, avait un sens. L'argent, je le gagnais pour le leur donner. Ce n'était que justice. Je recevais d'elles bien plus. Beaucoup plus.

J'avais un petit appartement pas loin du centre. Dans le quartier de Dokki. À côté d'un cinéma. Je le louais à l'année.

C'était mon nid pour l'amour, le sexe, la débauche assumée. Le concierge de l'immeuble me protégeait. Plus exactement, il veillait à ce que ma réputation d'homme à femmes ne cause pas trop d'ennuis dans le quartier.

Je le payais bien, lui aussi. Il m'aimait beaucoup pour cela. Et détestait les Marocaines. « Toutes des putes sans religion », répétait-il souvent.

Qui avait dit le contraire ?

Plus tard, quand Slima et son fils se sont installés dans cet appartement, il m'a déclaré la guerre durant deux mois. Je ne l'avais pas consulté, je ne lui avais pas demandé son avis.

Slima a su l'amadouer.

Elle avait un cœur, Slima. Brisé en mille morceaux, certes, mais encore capable d'envoyer de la tendresse aux autres, au monde. Elle n'était plus belle. Elle avait à ce moment-là dix ans de moins que moi. 35 ans.

Elle allait se retirer. Elle s'y préparait depuis quelques mois sans oser quitter le monde des filles marocaines ensorcelantes, en exil, dans la détresse et la liberté, dans l'errance perpétuelle. Des histoires qui ne se terminent jamais bien. Elle ne savait pas où aller après.

Le Maroc ?

Elle l'avait renié, à jamais.

Son fils ?

Elle ne le reconnaissait pas. Il avait maintenant 16 ans.

Elle ne l'avait pas vu pendant trois ans. Le temps qu'elle avait passé en prison au Maroc.

Juste avant qu'on l'enferme dans une des pires geôles au monde, elle avait eu le temps d'aller voir un de ses plus riches clients pour le supplier d'aider son fils à quitter le Maroc. Le client, très vieux et très tendre, avait eu pitié d'elle. C'était lui qui avait conseillé à Slima d'envoyer son fils au Caire, où il connaissait pas mal de prostituées marocaines en exil. Il demanderait à l'une d'elles, qui s'appelait Lalla Fatma, de s'occuper de Jallal. Bien sûr, il faudrait payer pour ce service énorme. La moitié de ce que Slima avait gagné pendant sa première année au Caire était allé à Lalla Fatma. Après tout, c'était elle qui avait veillé sur son fils, sur sa santé, sur son moral. Qui l'avait maintenu en vie.

Trois ans de séparation. Trois ans Slima sans Jallal, Jallal sans Slima. Un gouffre s'était installé entre eux. Slima ne savait plus comment toucher son fils. Jallal accompagnait sa mère sans savoir quoi faire, quoi dire.

16 ans. Il était devenu un petit homme. Sa taille dépassait celle de sa mère. Et il se posait d'autres questions que sa mère, sur la vie, sur l'avenir, sur l'au-delà et sur la solitude. Il se dirigeait vers un autre monde que je ne découvrirais que plus tard. Après Slima. Sans Slima.

C'est elle qui m'a abordé à l'hôtel Semiramis.

Elle a quitté ses copines marocaines, n'a eu aucun regard pour les autres hommes du casino, et est venue jusqu'à moi.

Elle n'a pas prononcé un seul mot. Elle s'est contentée de me regarder droit dans les yeux. Sans jouer les timides.

Non, elle ne se vendait pas. Elle s'offrait à moi.

C'était clair. Elle ne se faisait pas passer pour ce qu'elle n'était pas.

Rien de vulgaire. Rien de *cheap*. Une femme prostituée sans aucune honte.

Une femme qui connaissait mieux que quiconque les hommes, l'humanité. Dans le sexe. Au-delà du sexe.

Ses gestes n'étaient pas prévisibles. Ses regards venaient de loin, très loin. Son corps, fatigué, était encore dans l'élan malgré tout.

La nuit nous réunissait. Le Caire était notre patrie.

Heureux, je n'ai pas résisté. J'ai parlé le premier.

Pour l'amuser, je me suis présenté sous mon prénom arabe. Mouad. C'était celui que me donnaient mes collègues en Arabie saoudite. Je me suis réinventé musulman. Sans le savoir, j'étais en train de me convertir un peu à l'islam.

Elle m'a cru. Je n'ai jamais osé la détromper. Pour elle je suis resté musulman. Cela a facilité les choses plus tard. Se marier au Caire. Obtenir un passeport belge pour elle, un autre pour Jallal. Et puis voyager. Aller à La Mecque.

Elle ne m'a pas raconté tout de son passé. L'histoire de ses cicatrices impressionnantes. Son Maroc. Ses oublis.

Vivant avec moi, comme ma femme, elle est restée fidèle à ses sœurs marocaines, les prostituées du bled, ces femmes en fuite, en rupture. Elle allait, de temps en temps, leur rendre visite. Même quand elle a décidé de porter le voile, le lien avec elles n'a jamais été coupé. Bien au contraire.

Tout s'est passé très rapidement. Elle est entrée dans ma vie. Deux ans plus tard, elle n'y était plus.

Et, entre-temps, Jallal était devenu mon fils.

C'est difficile à croire. N'est-ce pas ? C'est difficile à raconter.

Par quoi commencer ? Comment reprendre le récit ?

J'ai rencontré une femme. Je suis tombé amoureux d'elle pour des raisons qui, aujourd'hui encore, me dépassent. Que j'ignore.

Elle n'a pas fait de moi un homme faible, un homme domestiqué. Une bague à son doigt, un petit chien anesthésié, comme on dit au Caire à propos des hommes soumis à leur femme. Elle ne m'a pas jeté de sort. Ne m'a pas obligé à l'épouser. Ne m'a pas empêché de voir d'autres femmes.

C'était comme une parenthèse dans un rêve. Un livre de légendes. Une seule légende.

Le destin m'a chargé de jouer un rôle dans la vie de cette femme en train de partir pour une autre destination, un autre monde.

Une femme à la fin d'un cycle de sa vie sur terre.

Je n'ai rien choisi. On m'a poussé. Guidé.

J'ai découvert l'amour autrement. Inscrit dans une spiritualité nouvelle : celle de l'islam.

J'ai même fait la prière. Cinq fois par jour. Comme un bon musulman. Un pieux.

C'était un bon sport.

J'ai aimé cela. J'ai apprécié la propreté quotidienne des préceptes de l'islam. Slima m'a appris à bien faire mes ablutions avant chaque prière. Et elle m'a aidé à mémoriser les versets coraniques à dire pendant les prières. M'a montré comment se plier, se relever, s'agenouiller. Par quoi débuter. Par quoi finir.

Elle avait tout cela en elle. Prier musulman. Le matin très tôt. À midi, juste avant le déjeuner. Au milieu de l'après-midi. Au moment du coucher du soleil. Quand la nuit est complètement noire.

Je l'ai vue faire. Par amour je l'ai imitée. Accompagnée. Je suis même allé avec elle à la mosquée, une fois par semaine.

Au bout d'un mois seulement la gymnastique de la prière musulmane n'avait plus de secret pour moi et, miracle, à moi aussi cela faisait du bien. Un bien fou. Comme quand, adolescent, j'allais chaque jour à la piscine. Le même état. Le même sentiment. Le même effet physique, psychique. Une lueur de bonheur. D'euphorie. L'esprit calme, léger. Un nuage blanc dans le ciel bleu, après la pluie.

Bientôt une addiction.

Surtout pour elle. De plus en plus pour elle.

Je me partageais toujours entre Djeddah et Le Caire.

Chaque fois que je la retrouvais, Slima m'emmenait loin dans la spiritualité, loin dans l'amour à travers Dieu.

Tout cela n'allait pas, bien sûr, sans certaines contradictions, certaines bizarreries de sa part. Elle avait parfois des gestes étranges. Et il lui arrivait souvent de lancer des cris stridents.

Mais je ne pouvais pas ne pas voir qu'elle était sincèrement habitée, inspirée.

« Nous apprendrons à aimer Dieu, Mouad, à Le redécouvrir en nous. Pour cela, je n'ai que les mots arabes, les préceptes musulmans. Nous allons les utiliser. Mais nous ne nous laisserons pas enfermer dedans. Nous y trouverons une réponse. Ou non. De la paix. Ou non. Ce qui est sûr : nous allons, par l'esprit et le corps, nous élever. Atteindre le ciel. Nager dans le ciel. Nous sommes musulmans comme les autres sans être tout à fait comme les autres. Il n'y a que toi et moi qui le savons. Nous réinventerons cette religion. Nous nous en servirons pour questionner notre rapport au monde, aux autres. À Dieu, encore et encore. Je ne veux pas te forcer. Je ne veux pas que tu me juges. C'est la fin de ma vie, de cette première vie. La fin est vraiment proche. J'ai trouvé une voie. J'entends la voix, maintenant. Je réponds à l'appel. Je ne peux pas faire autrement. Je suis un corps. Et pas seulement un corps. J'ai trop souffert. Je n'ai pas honte de mon passé. Je ne renonce pas à mon passé. Je continue sur la voie. C'est tout. Comme ma mère Saâdia, qui m'a adoptée dans le mausolée du saint de Rhamna. À ma manière et comme elle.

Tu as dit ton prénom. Mouad. Et j'ai compris qu'il était temps. Que je n'avais plus le temps.

Mouad, par toi le Mystère se révèle à moi.

Je n'ai que les mots de l'islam pour atteindre la prochaine étape, saisir le sens, progresser, écouter. Aimer. Aimer.

Je t'aime, Mouad. Tu me crois ?

Je t'aime, Mouad. Tu es mon sauveur. Mon dernier chemin.

Je t'aime et, à travers toi, je L'aime, Lui.

Je crois. Enfin je crois.

Je ne veux plus fermer les yeux. J'ai la vérité entre les mains, dans mon cœur. Je ne peux plus détourner la tête, faire semblant.

Mon corps est à Lui.

Mon âme est à Lui.

Il est là-bas. D'où tu es venu. Djeddah. La Mecque. Le désert.

Je ne suis pas musulmane.

Je ne suis pas que musulmane.

Et je ne sais pas ce que tu es. Ni pourquoi tu me suis. Ou plutôt si. Cela doit être l'amour. Vraiment l'amour.

L'Amour.

Tu entends, Mouad ? Tu comprends ? Je ne renonce à rien. Je ne renie rien. Je vais vers Lui. Je suis proche de Lui. Le noir ne me fait plus peur. La terre n'est plus seulement ma résidence, mon jardin. D'autres lieux se révèlent à moi. D'autres terres. D'autres nuits.

La Porte s'ouvre petit à petit. Un souffle arrive. Le rendez-vous se rapproche.

Je dois aller là-bas. Dans ce désert originel. Marcher sur Ses traces. Ses empreintes. Je sais où exactement je les retrouverai.

J'ai une vision.

Je vois. Je vois.

Je ne partirai pas seule.

Je laisserai une trace ici-bas. Un souvenir. Un testament. Un fils. Jallal.

Tiens ma main, Mouad. Je tremble.

Il existe. Il existe. Au-delà de la mer Rouge je dois aller.

Je me vois nue.

Je ne porte rien.

Les voiles et les masques, qu'on m'a obligée à porter toute ma vie, ne servent déjà plus à rien.

Je ne suis pas folle. Je sais que tu le sais. Tu viens de loin, d'un autre monde, d'une autre culture, d'autres habitudes. Mais tu es, comme moi, un être humain. Un être humain.

Tu es mon frère. Je suis ta sœur. Je revis. Je renais. Je pars. Je change. Par ton regard, ton désir, ton élan, ton sexe, ta peau, ton odeur, ton mystère. Ton silence. Dieu qui est en toi.

Dieu qui est en toi. »

Je n'étais qu'un serviteur dans cette histoire. L'histoire de Slima. Un passager. Un comparse.

J'ai appris, moi aussi. Beaucoup. Sur moi. À me redécouvrir. À me suspendre dans l'air. À lâcher prise.

Je l'ai aidée, Slima. Bien sûr. Il le fallait.

Nous sommes allés à La Mecque, comme elle le souhaitait.

C'était à la fin des deux années que nous avons passées au Caire.

Nous avons marché pendant deux mois au désert de La Mecque.

Nous avons commencé par le petit pèlerinage. Al-Omra.

Nous avons trouvé sur place un instructeur qui nous a montré le chemin à suivre. Comment tourner autour de la Kaaba. Quoi dire. Où se reposer. Où dormir. Où rencontrer Dieu et Son prophète.

Il est impossible d'accomplir sans guide ces rites très compliqués les deux premiers jours. Le troisième, il a dit :

« Vous n'avez plus besoin de moi. Dieu vous guidera. Allez purs. Il est par là. Par là. Et par là. Marchez. Volez. Dormez. Respirez. Regardez. Allongez-vous. Fermez les yeux. Il est là. Partout. Vous verrez. Vous Le voyez déjà. Vous êtes devant le seuil de Sa Porte. »

Slima avait trouvé en cet homme un frère qui parlait la même langue qu'elle.

Je ne saisissais pas tout. Mais j'étais bouleversé en permanence. Assister à tout cela me donnait des larmes. À La Mecque, l'humanité tout entière était devant moi, dans ses premiers gestes, cherchait Dieu, Le trouvait, Lui parlait, vivait et mourait jour et nuit en Lui.

Ce spectacle grandiose, cette ferveur gigantesque, me connectait avec un être profondément incarné en moi mais que je n'avais jamais encore rencontré.

Je ne comprenais pas ce qui m'arrivait.

Je me suis accroché à Slima. Elle me donnait la main. Elle me rappelait ce que j'avais à dire, les prières et les formules à réciter.

Nous sommes entrés en Dieu en même temps.

À ce moment-là, oui, j'étais musulman. Mouad. Musulman entouré d'autres musulmans. Musulman et dans un autre temps.

Slima s'évanouissait régulièrement. Pour rencontrer Dieu sous la canicule de La Mecque, il faut avoir une bonne santé. Acquérir vite l'art de l'endurance. Savoir se frayer un chemin au milieu d'une foule très pieuse et, parfois, très agressive. Et surtout s'éloigner de l'ascétisme. Ce n'était pas le cas de Slima. Elle avait, bien avant d'arriver à

La Mecque, décidé de manger moins. La nourriture ne l'intéressait plus. Près de Dieu, elle ne se nourrissait presque que de jus de fruits. Et buvait sans cesse l'eau très fraîche du puits sacré de Zamzam. Cela la nettoyait de l'intérieur, disait-elle, lui lavait le cœur, l'attendrissait, la soulageait. La changeait. La préparait davantage.

Perdre du poids permet à l'âme de s'élever plus rapidement vers Dieu. C'est une affaire de physique, de chimie.

Slima n'avait pas tort.

Je l'ai suivie même dans ce régime. J'ai arrêté de manger. Comme elle, jour après jour, je fondais.

Mais je gardais assez de force pour la prendre dans mes bras quand elle s'évanouissait sans fermer les yeux.

Je voyais en eux où elle allait, montait. L'Avenir. La faim, Dieu et l'extase.

Mon amour pour Slima a changé, beaucoup changé, durant ce voyage.

Mon amour a pris une nouvelle dimension.

Je la vénérais désormais, Slima. Je comprenais pourquoi le destin m'avait mis sur son chemin. Ma main dans la sienne. Mon cœur ouvert à la spiritualité, à quelque chose qui avait un goût arabe et qui avait été inventé quatorze siècles auparavant pour dialoguer avec le ciel, plus loin que le ciel, que l'horizon, derrière le Noir. Parler avec la première Lumière. Son écho encore visible. Regarder la Kaaba, cette pièce gigantesque, sombre, et saisir du même coup cette chance : regarder l'univers qui gonfle, qui se rapproche. Ne plus avoir peur. Accepter le désert. S'agenouiller comme les musulmans et baiser la terre, la respecter, ne jamais oublier que cette terre est en nous. Elle est nous. Nous marchons sur nous. Nous mangeons nous. Nous entrons en nous. Et, par moments, c'est le miracle, nous nous ouvrons au Mystère.

Nous voyons. Nous acceptons la mort. Nous y allons.

Nous apprenons l'Histoire depuis le premier éclat : elle défile, limpide, devant nous. Devant Slima. Devant moi.

Slima ne parlait presque plus.

Elle s'éloignait mais jamais elle ne lâchait ma main. Nous dormions ensemble, dans une toute petite pièce. Elle dans mon creux. Moi dans son creux. Frère et sœur. Musulmans. Plus que cela. Bien plus. Et même le contraire de cela.

Nous rêvions pareil. Au-delà de la matière.

Je parlais arabe. Je n'étais plus belge. Je n'étais plus occidental. Ni arabe. Ni homme du xxe siècle.

C'était possible.

C'est possible.

On peut toucher Dieu. Il peut venir dormir entre nous.

Il est venu se reposer avec nous dans la petite pièce, chaque nuit.

Et j'ai continué à parler arabe. C'était devenu ma première langue.

À la place de Slima, j'ai parlé avec des mots nouveaux, enfouis depuis le départ en moi. Mais je ne le savais pas.

Je vivais une autre vie. Slima me l'a permis.

C'était son cadeau. Sa promesse. Son message.

Après La Mecque, nous sommes allés à Médine. Juste à côté de la tombe du prophète Mohamed, émue comme elle ne l'avait jamais été auparavant, Slima a pleuré un jour et une nuit.

C'est là que je me suis séparé d'elle. Autant je pouvais intuitivement la suivre à La Mecque, reprendre ses gestes, m'élever avec elle, autant je n'arrivais plus à être dans le même ciel qu'elle à Médine.

Je ne savais rien du prophète Mohamed. De sa vie. De son message. Slima ne m'avait jamais vraiment parlé de lui, de l'homme politique et du guerrier qu'il avait été aussi. Nous étions plongés dans la religion inventée par cet homme sans savoir qui il était au fond. Il y avait, bien sûr, ses hadiths, mais ils sont codifiés, figés, trop sacrés.

À Médine, cet homme abstrait est devenu quelqu'un de concret : il avait une tombe.

Mohamed a réellement existé. À côté de Slima, j'en avais, plus ou moins, la preuve historique.

En larmes, fidèle et captive sincère, Slima s'est détachée un moment de la tombe de son bien-aimé messager et a récité pour moi un des hadiths de Mohamed. Le dernier hadith. Celui qu'il a prononcé juste avant sa mort et que ses compagnons ont appris par cœur.

Ce que le prophète Mohamed retient de sa vie, de la vie. La prière. Les parfums. Les femmes.

Tous ces éléments sur un même plan. Rencontrer Dieu peut passer par ces trois étapes, qui, au fond, ne sont qu'une seule et même échelle. J'ai retenu ce hadith par cœur moi aussi. Pour plus tard. Les jours de désespoir, de solitude stérile.

Et je suis resté, malgré moi, dans la séparation, l'éloignement. Et la jalousie. Je ne pouvais pas aller plus loin. Je ne pouvais pas aimer Mohamed aussi fort que Slima.

J'ai lâché sa main.

Extatique, Slima est restée à côté de la tombe de Mohamed.

C'est là qu'elle s'est évanouie définitivement.

Sans larmes, je l'ai enterrée dans la même ville que son prophète.

C'était cela, son rêve ultime : recevoir la grâce de Mohamed. Sa terre. Toucher la sainteté première. Y entrer. S'y dissoudre. S'y éclater.

Et je suis parti seul au désert marcher dans les traces de mon amour pour Slima. Réaliser enfin ce que je venais de vivre. Mettre des mots sur cet amour sublime. Comprendre ce qui m'avait échappé. Marcher longuement dans le désert et ses ruines. Méditer. Pleurer, essayer du moins.

Il m'a fallu plusieurs semaines pour revenir sur terre. Au Caire. Dormir sans cesse. Puis réapprendre petit à petit à supporter le vide de ma vie. Remplir mes jours et mes nuits autrement. Sans elle. Sans son image, ses yeux, son odeur, son sexe. Me rappeler enfin que Slima m'avait laissé un héritage. Un fils. Une promesse. Jallal. Un adolescent. Un inconnu perdu, abandonné trop longtemps à lui-même dans le chaos terrible et enivrant du Caire. Il vivait dans le même appartement que moi. Mais je ne le voyais pas.

Un matin, un an après la mort de Slima, je suis entré dans la chambre de Jallal et je lui ai tendu ma main. Il a répondu par un petit sourire. Celui de Slima au casino de l'hôtel Semiramis. Exactement le même.

# III. Infidèles

1

الله الرحمن الرحيم الملك القدوس السلام المؤمن المهيمن العزيز
الجبار المتكبر الخالق البارئ المصور الغفار القهار الوهاب الرزاق
الفتاح العليم القابض الباسط الخافض الرافع المعز المذل السميع
البصير الحكم العدل اللطيف الخبير الحليم العظيم الغفور الشكور
العلي الكبير الحفيظ المقيت الحسيب الجليل الكريم الرقيب المجيب
الواسع الحكيم الودود المجيد الباعث الشهيد الحق الوكيل القوي المتين
الولي الحميد المحصي المبدئ المعيد المحيي المميت الحي القيوم
الواجد الماجد الواحد الصمد القادر المقتدر المقدم المؤخر الاول الآخر
الظاهر الباطن الوالي المتعالي البر التواب المنتقم العفو الرؤوف
مالك الملك ذوالجلال والأكرام المقسط الجامع الغني المغني المانع
الضار النافع النور الهادي البديع الباقي الوارث الرشيد الصبور

# 2

**Allah  Le Très-Miséricordieux  Le Tout-Miséricordieux  Le Souverain  L'Infiniment Saint  Le Salut  Le Fidèle  Le Dominateur  L'Irrésistible  Le Contraignant  Le Superbe  Le Créateur  Le Novateur  Le Formateur  Le Pardonnant  Le Dominateur suprême  Le Donateur généreux  Celui qui pourvoit et accorde toujours la subsistance  Le Conquérant  L'Omniscient  Le Rétracteur  Celui qui étend Sa générosité et Sa miséricorde  Celui qui abaisse  Celui qui élève  Celui qui donne puissance et considération  Celui qui avilit  L'Audient  Le Voyant  L'Arbitre  Le Juste  Le Subtil bienveillant  Le Bien-Informé  Le Très-Clément  L'Éminent  Le Tout-Pardonnant  Le Très-Reconnaissant  Le Très-Haut  L'Infiniment Grand  Le Préservateur  Le Puissant  Celui qui tient compte de tout  Le Majestueux  Le Noble généreux  Le Vigilant  Celui qui exauce  L'Immense  L'Infiniment Sage  Le Bien-Aimant  Le Très-Glorieux  Celui qui ressuscite Ses serviteurs après la mort  Le Témoin  Le Vrai  L'Intendant  Le Très-Puissant  Le Très-Ferme  L'Ami  Le Très-Louange  Celui dont le savoir cerne toute chose  Celui qui donne l'Origine  Celui qui réintègre  Celui qui fait vivre  Celui qui fait mourir  Le Vivant  L'Immuable  L'Opulent  Le Majestueux  L'Unique  Le Soutien universel  Le Déterminant  Le Détenteur absolu du Pouvoir  Celui qui précède ou devance  Celui qui vient en dernier  Le Premier  Le Dernier  L'Apparent  L'Intérieur  Le Maître très proche  L'Exalté  Le Bienveillant  Celui qui ne cesse de revenir, d'accueillir le repentir sincère de Ses adorateurs et qui leur accorde Son Pardon  Le Vengeur  L'Indulgent  Le Très-Doux  Le Possesseur du Royaume  Le Détenteur de la Majesté et de la Générosité  L'Équitable  Celui qui réunit  Le Suffisant par Soi  Celui qui confère la suffisance et satisfait les besoins de Ses créatures  Le Défenseur  Celui qui peut nuire  L'Utile  La Lumière  Le Guide  Le Novateur  Le Permanent  L'Héritier  Celui qui agit avec droiture  Le Patient**

# 3

Par cœur. Je les ai fait apprendre à Mahmoud par cœur. Tous. Les quatre-vingt-dix-neuf noms d'Allah. Avec la bonne prononciation. Dans le bon rythme. En arabe classique.

Il était tout le temps allongé sur son lit de malade à l'hôpital Brugmann de Bruxelles. Et il me regardait toujours, s'accrochait à moi comme un bébé qui ne reconnaît personne au monde, sauf sa maman.

« Jallal, mon ami, mon frère, répète-les encore, ces quatre-vingt-dix-neuf noms. Encore et encore. »

À vrai dire, il les connaissait bien, ces noms sacrés. Mais en français.

Avant, il s'appelait Mathis.

Maintenant, il portait un nom arabe, Mahmoud, mais ne parlait pas la langue. C'est ce qu'il m'avait dit.

Nous avons été patients.

J'ai été très patient avec lui.

Notre relation a duré en tout et pour tout deux mois.

Tout vivre avec lui, à la fois Mathis et Mahmoud, comme si c'était le premier jour de ma vie. Le dernier jour de ma vie. En arriver là : l'osmose totale.

Je lui ai appris à écrire l'arabe. Je lui ai permis d'entrer enfin dans cette langue mystérieuse, selon lui, compliquée, impossible. La langue de sa nouvelle religion.

On a étudié pendant toute une nuit le *alif*, la lettre de tous les commencements. Le *alif* en lettre isolée, au début d'un mot, au milieu d'un mot, à la fin d'un mot. Comment il s'écrit et comment il se métamorphose. Une lettre, toujours la même et jamais la même.

Cela lui avait posé problème et l'avait poussé, dans le passé, bien avant de me rencontrer, à renoncer à cette langue où le même a plusieurs visages, plusieurs peaux.

Pourquoi ? Pourquoi ces revirements incessants ? Ce côté en permanence insaisissable ? Ces multiples langues à l'intérieur d'une même langue ?

Je n'avais pas de réponses à ces questions que je ne m'étais jamais posées. Je ne réfléchissais pas sur l'arabe. Cette langue était en moi bien avant moi.

Je la lui ai donnée telle qu'elle était en moi.

Je lui ai donné ce que je savais et ce que je ne savais pas.

Il était allongé sur son lit d'hôpital. Il me fixait toujours des yeux d'une manière tendre et dure.

Je ne savais comment répondre à ses regards. Mais, très vite, je lui ai donné ma main. Dès la troisième lettre. Le *tae*.

Je dois être précis : je l'ai laissé prendre ma main.

Le *tae* a provoqué en lui une grande peur. Une crise de panique. Il n'était soudain plus en lui-même. La forme de cette lettre, qu'il voyait comme une petite bassine avec deux yeux hallucinés, le renvoyait à un passé traumatisant que j'ignorais.

Il a pris ma main gauche et l'a serrée très fort.

Je lui ai demandé s'il voulait qu'on renonce au *tae*. Il a répondu en fermant les yeux. Oui.

Et on est passés à la lettre suivante.

Mahmoud était faible. Tellement faible. Il partait. Quelque part dans son corps malade, la douleur était devenue insupportable.

Ma main dans sa main, il a fini par s'évanouir. S'endormir. Un quart d'heure.

Je n'ai pas quitté son visage étrange, blanc. Je l'ai mis partout en moi, à l'intérieur de mon corps et de mon âme.

Le *tae* est devenu plus tard notre lettre. La lettre qui symbolisait notre lien, ce qui se passait entre nous de vertigineux. De sacré. On a dépassé la crise de panique. On est entrés petit à petit dans le *tae* et on y a inscrit notre marque. Notre trace.

C'est lui qui a trouvé le premier mot en *tae*. Il dormait. Il a ouvert les yeux et il a dit le mot. *Taouba*.

Comment connaissait-il ce mot ? D'où lui venait-il ?

Je ne lui ai pas posé ces deux questions. Je n'en ai pas eu le temps. C'est lui qui l'a fait.

« Que signifie *taouba* en arabe ? »

Bizarrement, je ne le savais pas.

Il a répété la question en y ajoutant, à la fin, un petit détail : mon prénom.

« Que signifie *taouba* en arabe, mon ami Jallal ? »

Entendre « Jallal » dit par sa voix tendre m'a aidé. Il m'avait inspiré. J'ai su alors quoi répondre.

« Se repentir. Revenir au vrai, au pur, au Premier.

– Nous allons nous repentir tous les deux, Jallal, en même temps. N'est-ce pas ? Par la même porte proche et lointaine qui s'ouvre petit à petit devant nous. »

Sa main n'avait pas quitté la mienne.

Oui, nous allons faire des choses ensemble, Mahmoud. Je le promets. Je te le jure.

J'ai confirmé ce pacte sans prononcer aucun mot. Lui non plus n'avait rien dit. Tout s'est passé en silence. Nos yeux parlaient pour nous.

Je ne me suis forcé à rien avec lui. Tout ce qui est arrivé entre lui et moi était de l'ordre de l'évidence.

Mahmoud était malade. Je l'ai rencontré malade. Et, sans même y réfléchir, j'ai attrapé sa maladie. J'en avais besoin. De cette maladie et de cet amour. Depuis que j'avais quitté Le Caire avec le dernier mari de ma mère, Mouad le Belge, je cherchais à Bruxelles un sauveur. Une âme pour me soulager, me comprendre, me guider, m'alléger. Un être à part, un élu, un frère, un étranger. Mahmoud malade a été cette personne exceptionnelle. Cet illuminé qui m'a forcé à tout lâcher pour le suivre dans sa façon de voir le monde, sa façon d'aimer et son projet de laisser ici, sur terre, une trace.

J'ai compris tout cela dès le départ. Dès que mes yeux sont entrés dans les siens.

Je ne le connaissais pas, Mahmoud. Et rien ne me préparait à le rencontrer.

Depuis un an je vivais seul dans l'appartement à Bruxelles de Mouad. Celui-ci m'avait plus ou moins abandonné. Il était retourné en Arabie saoudite reprendre son travail. Il estimait qu'à mon âge, 22 ans, j'étais désormais capable de me débrouiller tout seul à Bruxelles. En Occident. Il m'avait laissé l'appartement, trop grand pour moi, et il m'envoyait 500 euros par mois. En partant, il m'avait dit : « Il est temps que tu deviennes un homme. Sans moi. Tu ne peux pas devenir un homme en restant scotché à mes baskets. Tu comprends ? »

Je n'avais rien compris.

Rencontrer Mahmoud à l'hôpital Brugmann de Bruxelles m'a permis de comprendre. Non pas la solitude, l'abandon, mais le sens profond de ma vie, mon existence. Avec Mahmoud, malade et beau, chétif et puissant, j'ai trouvé une mission. Un amour et une mission. Aimer et être en colère. Régler enfin mes comptes avec ce monde qui, dès le départ, ne m'avait rien donné et qui, en plus, m'avait pris ma mère, ma Slima. Renvoyer aux autres la cruauté qu'ils avaient installée en moi. Le mépris de moi-même qu'ils m'avaient imposé. Me venger. Venger Slima.

Mahmoud était un étranger pour moi. Je l'ai rencontré en accompagnant à l'hôpital Steve, un neveu de Mouad le Belge, qui était un ancien camarade de Mahmoud.

Steve était venu me rendre visite dans l'appartement de Mouad. Il avait dit : « Mouad a appelé. Il te salue. Et il te dit que tu dois lui téléphoner de temps en temps. Il veut savoir comment tu vas. Tu vas bien ? » Je n'avais rien à répondre. Ni à Mouad ni à Steve, que je connaissais à peine.

Steve avait dit encore : « Mouad me demande de venir te voir de temps en temps. De te sortir. Tu veux sortir ? On va au cinéma ? »

Nous étions sortis ensemble. Et, avant d'aller au cinéma, nous nous étions rendus à l'hôpital Brugmann de Bruxelles. Mahmoud nous y attendait. M'y attendait.

Steve avait tenu à préciser ceci : « Ce ne sera pas long, Jallal. Je dois lui rendre visite. Ce n'est pas vraiment un ami. Il était avec moi au collège, il paraît qu'il est très malade. Cela ne te dérange pas de venir avec moi ? »

De 13 à 16 ans, pendant que je vivais au Caire sous la garde de Lalla Fatma, on m'a enlevé ma mère Slima. On l'a kidnappée, torturée, emprisonnée, abîmée. Elle m'a raconté une seule fois cette disparition. La violence inouïe dans laquelle on l'avait jetée. C'était la veille de son départ à La Mecque avec son mari Mouad.

De 16 ans à 18 ans, après que Slima eut quitté le Maroc pour venir au Caire, j'ai retrouvé une mère qui n'était plus ma mère, qui ne pouvait plus l'être. Elle ne me voyait plus. Elle attendait autre chose de la vie.

Slima était devenue une femme déchirée, fracassée. Complètement détruite. Une autre. Mais elle était obligée de continuer son premier métier, celui de sa mère, celui de centaines de milliers de Marocaines. La prostitution.

Je suis devenu bien malgré moi son ami. Son confident. J'ai fait semblant de l'être.

Avant qu'elle me rejoigne au Caire, je m'étais habitué à vivre sans elle. Le vacarme incessant de la capitale égyptienne me remplissait suffisamment, me tenait loin de ma mère, loin de cette femme que j'aimais toujours mais sans la comprendre. Au Caire, à côté de moi et absente à la fois, elle parlait politique, très souvent, trop souvent. Elle s'inscrivait dans une autre histoire, sans moi. Elle avait besoin d'une oreille. J'ai joué ce rôle. Elle avait besoin de retrouver autrement sa dignité.

Ses hommes, des clients riches qu'elle rencontrait dans les hôtels chics du Caire, payaient pour tout, y compris pour ma scolarité au Lycée français.

Je n'ai jamais vraiment compris comment, de sa prison au sud du Maroc, à côté de Ouarzazate, elle s'était débrouillée pour m'envoyer au Caire, me confier à cette Marocaine un peu sorcière, Lalla Fatma, continuer à veiller sur moi de loin, de cette prison terrible et sans nom.

Je ne le saurai jamais.

Même vivant de nouveau sous le même toit que ma mère Slima, je n'ai pas réussi à renouer avec elle, avec notre passé au Maroc, à Salé. Le hammam. La maison à Hay Salam. Les soldats. Le soldat. Le film. *River of No Return*.

Le Caire me possédait. La foule, vingt millions d'habitants, me tenait compagnie. Me protégeait. Me séparait chaque jour un peu plus de ma mère Slima.

J'ai appris au Caire la solitude.

La solitude au milieu d'une humanité en colère mais sourde, muette.

Je me suis détaché de ma mère.

Je l'ai attendue une année. La première année, dans l'appartement de Lalla Fatma, j'avais encore de l'espoir, de la ferveur, de la confiance. La deuxième année, triste, malheureux, j'ai volontairement tout coupé entre nous. Tous les fils. Toutes les attaches. J'avais décidé qu'elle était morte. Elle ne reviendrait pas. Un jour, on m'annoncerait sa mort.

Autant la tuer tout de suite, la laisser partir dès maintenant, ma mère.

L'adolescence est l'âge de la force. Chaque jour est une tragédie. Chaque jour est une guerre. On devient impitoyable. On oublie vite. On zappe vite. On tue de sang-froid. Et on continue de vivre. Sans aucune culpabilité.

Je suis devenu ce monstre.

Sans ma mère.

Même quand elle est revenue, son absence a continué de m'habiter. C'était vraiment une autre femme. Dans un monde opaque.

J'étais à côté d'elle. Nous buvions la même eau, celle du Nil. Je ne voyais rien. Je faisais le garçon stupide. L'adolescent blasé. Vide.

Désespéré, peureux, jusqu'à la fin, jusqu'à la mort, vivre sans elle. Dans le manque.

Depuis dix ans, je suis sans ma mère.

J'ai un peu plus de 23 ans, maintenant.

J'ai envie de cracher. Comme quand j'étais petit à Salé.

Je marche dans les rues de Bruxelles. Et je crache.

Je lève la tête au ciel noir. Et je crache.

Je vais à la porte de l'appartement de Mouad. Et je crache. Je crache.

Je me souviens de ce que je lui disais, à cet homme qui a accompagné ma mère jusqu'à la mort, à Médine en Arabie saoudite. « Tu es mon père, Mouad, oui, oui. » Je le lui ai dit plusieurs fois. Je le rassurais. Il s'endormait. « Oui, tu peux repartir en Arabie saoudite l'esprit tranquille. Je vais bien. Je vais bien. Je te le jure. Tu as raison, j'ai l'âge de devenir un homme. 22 ans, c'est l'âge d'homme. Je suis un homme, Mouad. Je suis fort. Je connais bien Bruxelles. Je peux me débrouiller seul. Je vais reprendre mes études à l'université. Oui, oui. Tu peux me croire, cette fois-ci. Tu as fait pour moi tout ce que tu pouvais. Tu m'as sauvé. Grâce à toi, j'ai un toit. Je ne mourrai pas de faim. Tu as raison, je suis grand. Tu peux partir. »

Juste avant d'entrer dans cet appartement à Bruxelles, je me racle bien la gorge et je crache.

J'ai menti à Mouad. Je ne faisais que cela : mentir. Mentir. Porter chaque jour un nouveau masque.

Bruxelles me tue. M'asphyxie. Ne me parle jamais.

Où suis-je ? Qu'est-ce que je fais ici ? Comment saisir les codes de cette ville ? Comment aborder les gens, les signes ? Comment vivre sans couleurs ?

Je crache. Encore et encore.

Je renoue avec mon enfance. Avec le garçon mal élevé que j'ai été dans la ville de Salé.

Bruxelles me donne l'envie de fermer toutes les fenêtres, toutes les portes. De tomber malade. D'en finir une fois pour toutes. Fuir, traverser le fleuve. Rejoindre ma mère.

Et c'est ce qui est arrivé quand Steve, qui voulait m'emmener au cinéma, m'a conduit d'abord à l'hôpital Brugmann pour rendre visite à un camarade à lui. Un Belge, qui avait quatre ou cinq ans de plus que moi, y était hospitalisé.

Il s'appelait Mathis. Mais, comme Mouad, il avait changé de prénom et de religion.

Une coïncidence ?

J'ai compris plus tard que c'était tout sauf une coïncidence. J'ai emprunté, sans l'avoir décidé, le même chemin que ma mère. Exactement comme elle, j'ai rencontré un Belge converti à l'islam qui devait jouer pour moi le rôle que Mouad a joué pour ma mère. Avec lui, je suis entré en révolution. Avec lui, Mahmoud, j'ai compris qu'il fallait un sacrifice énorme pour que le monde change, pour que mon cœur s'ouvre et accepte la lumière.

Mahmoud était sur son lit de malade. À côté de lui, sur un autre lit, un vieil homme.

Le neveu de Mouad lui avait apporté des fleurs.

Moi, j'avais apporté une bougie, une seule, blanche, petite. Achetée longtemps auparavant au Caire. Je m'étais dit que, si cet inconnu malade était gentil, je la lui offrirais. Sinon, tant pis pour lui.

Il n'était pas seulement gentil. Il était lumineux. Malade et lumineux. Malade et si paisible.

Si doux. Si doux.

C'était lui le frère que je cherchais désespérément à Bruxelles. Je l'ai su tout de suite. Et lui aussi, d'ailleurs.

J'ai gardé la bougie, pour un autre jour. Je n'osais pas lui offrir, devant Steve, ce cadeau qui avait tellement d'importance pour moi et qui venait d'une ville où ma vie avait basculé complètement.

Je n'ai rien dit devant lui ce jour-là.

En repartant, Steve et moi lui avons serré la main.

Il m'a dit :

« Tu reviendras me voir, n'est-ce pas ? »

Ce n'était pas un ordre ni une prière. C'était une évidence. Une voix d'En haut. Ni lui ni moi n'avions le choix.

Il fallait revenir. Continuer ce qui avait commencé. Devenir vite intimes, lui et moi. Et, d'une certaine manière, reproduire, rejouer, la même histoire que ma mère, à la fin de sa vie, avait vécue avec Mouad le Belge.

Oui, il fallait revenir. Chaque jour. Sans Steve, bien sûr. Sans rien révéler à Steve. Je l'avais décidé bien avant que Mahmoud me serre la main pour la première fois.

La bougie du Caire était pour lui. C'était écrit.

Plus tard pour nous deux.

Je n'ai d'abord rien osé répondre à son invitation. Mais, après quelques secondes, j'ai quand même prononcé en tremblant un petit « oui ».

« Je serais très heureux de revenir te voir ! »

Il avait le pouvoir de dire les choses, décider les choses. Entrer tout au fond de moi. Lire mon cœur. Mon âme. Me nourrir. Me donner à boire.

Je suis revenu, deux jours plus tard. Le vieux monsieur dormait.

Mahmoud a dit :

« Tu vois le ciel ? Tu le regardes comme il faut ? Et la Lune ? »

J'ai répondu :

« Ici, à Bruxelles, tout est noir pour moi. Je n'ai rien. J'erre. Je ne vois rien. Il n'y a pas de ciel.

– Ce n'est pas vrai, Jallal. La Lune est là. Toujours. Il faut aller au-delà du noir. Au-delà des voiles. Tu as tort, Bruxelles n'est pas noire. »

Je n'osais pas le contredire.

Et il a fait cette proposition :

« Tu veux qu'on monte sur la Lune ? Tu veux ? On la coupera en deux. Une moitié pour toi, l'autre moitié pour moi. »

J'ai compris qu'il m'initiait à sa langue intérieure, à sa façon d'utiliser les mots, de les attacher les uns aux autres, de les réinventer, de les prononcer avec un souffle nouveau.

Je me suis forcé. J'ai répondu comme lui, en cherchant à être inspiré comme lui :

« Il nous faudra trouver un jour un arbre, Mahmoud, et, ensemble, y inscrire les deux premières lettres de nos deux prénoms.

– En quelle langue, Jallal ?

– Tu connais l'arabe ? »

Il s'était converti à l'islam quelques années auparavant mais il ne connaissait pas l'arabe.

« Veux-tu me l'apprendre, Jallal ?

– Ici, dans cet hôpital ?

– Oui, ici, dans cette chambre. Je dois rester presque deux mois encore. »

J'ai accepté immédiatement.

Je n'avais pas parlé l'arabe depuis mon arrivée à Bruxelles avec Mouad le Belge, mais cette langue était encore vivante et forte en moi. J'allais le découvrir de plus en plus dans les deux mois qui me restaient à vivre sur cette terre.

Mahmoud a continué de parler en poète.

« Et comme ça, on ira sur la Lune. On montera le cheval ailé mythique, le Bouraq, comme le prophète Mohamed. Il nous y emmènera. On y cherchera un arbre et on y inscrira en arabe les premières lettres de nos prénoms. Tu veux ? »

Comment résister à cette invitation ?

Je n'ai pas résisté. Il était malade. Il fallait lui faire plaisir.

Après un moment de silence, il a dit mon prénom. Jallal.

Après avoir respecté exactement le même temps de silence que lui, j'ai dit le sien. Mahmoud.

Le lendemain, j'ai commencé à lui apprendre la langue arabe. À l'écrire et à la parler.

Le vieux monsieur nous regardait. Parfois il participait à ces cours un peu particuliers. Et il nous rejoignait ainsi dans ce voyage vers la Lune. La lumière.

C'est Mahmoud qui m'a parlé, un jour, des quatre-vingt-dix-neuf noms d'Allah en islam.

Je n'étais pas vraiment un bon musulman mais je les connaissais quand même. Par cœur, comme beaucoup de musulmans. Les réciter doucement, les psalmodier tous, chaque jour, vous rapprochait de Dieu, bien sûr, et éloignait la mort.

J'ai dit à Mahmoud tout cela.

« Tu as peur de la mort, Jallal ? »

Oui, j'avais encore peur de la mort.

Lui, non.

« Alors, chaque fois que tu viendras ici me voir, nous dirons ces quatre-vingt-dix-neuf noms d'Allah. Je ne veux pas que tu meures, Jallal. Pas tout de suite. Tu commenceras. Tu chanteras un nom. Puis un autre. En arabe. Je te suivrai. Et, un jour, nous les dirons en même temps, du même cœur. Sans ouvrir la bouche. Juste en se regardant dans les yeux. Cela te va ? »

Cela m'allait parfaitement.

Il savait m'emporter. Me guider. M'entraîner avec lui dans un cycle nouveau de la vie.

J'ai tout oublié à côté de lui pour mieux me retrouver.

J'ai aimé enfin Dieu. Allah.

Mahmoud a dit :

« Où est Dieu en toi ? »

Je ne le savais pas.

Il a dit :

« Connais-tu le poète Djalal al-Din Rumi ? »

Je ne le connaissais pas.

Trois jours plus tard, je savais tout sur lui.

Djalal al-Din Rumi est un poète musulman, soufi, qui a vécu au XIIIe siècle. Il a célébré Dieu et l'amour pour Dieu dans des poèmes que Mahmoud jugeait sublimes et que d'autres considèrent comme trop libres, blasphématoires.

« Lis le poète Djalal al-Din Rumi. Tu connaîtras Dieu. Tu connaîtras l'Amour. Et tu viendras mieux à moi. Djalal al-Din Rumi sera notre témoin. Le témoin de notre rencontre. De nos retrouvailles avec Dieu, Sa Parole cachée, Son Mystère éternel. »

Les miracles existent.

La foi peut revenir.

L'islam, comme pour ma mère à la fin de sa vie, pouvait être autre chose que des interdictions de penser, d'exister, de s'affranchir.

L'islam, Mahmoud et moi nous l'avons petit à petit réinventé. Nous y avons connu l'amour. L'Amour. À notre petite échelle, nous l'avons fait avancer.

Je n'ai jamais osé lui poser cette question : « Comment es-tu entré en islam ? »

Un matin, après avoir pris ses très nombreux médicaments, il a commencé à parler :

« Je suis allé en Afghanistan. J'y ai tout appris. Réappris. J'étais un journaliste débutant. C'était un prétexte pour m'y rendre. J'y ai vécu deux ans. Je suis revenu autre. Un autre. Sur ma carte d'identité belge je suis encore Mathis. Depuis que mon émir afghan m'a choisi Mahmoud comme prénom, j'ai renoncé à ma vie passée. Je suis un autre. Un autre. Tu comprends ? Tu comprends ? »

Est-ce que j'ai compris ? Que faisait-il vraiment en Afghanistan ? Et qui était cet émir qui l'avait révélé à lui-même ? Un taliban ? Un islamiste d'un autre groupe ? Un terroriste ? Mahmoud était-il comme cet émir ?

J'ai gardé pour moi ces doutes. Ce n'était pas le moment de les partager, de les discuter.

J'ai parlé à mon tour :

« Ma mère est morte à Médine. Son dernier mari, Mouad, m'a ramené à Bruxelles. Et il est reparti. Je ne sais rien faire, ici. Je suis terriblement seul, ici. Je n'ai rien choisi. Ici, je vois noir. Cette terre, c'est le noir. Je veux aller avec toi sur la Lune. Monter avec toi sur le cheval ailé, le Bouraq. Dépasser avec toi les soixante-dix mille voiles de lumières et de ténèbres qui nous séparent du Créateur. Et prendre avec nous la bougie blanche achetée au Caire. »

Il a pris la bougie.

Et il a souri. Il avait l'air d'un ange. Il était un ange.

« Nous irons sur la Lune. Nous n'aurons pas peur du noir… Cette nuit, tu resteras ici, tu dormiras dans mon lit. Je te cacherai. Nous allumerons la bougie dans un coin secret. Nous attendrons. Le ciel finira par s'ouvrir. »

Je me suis caché dans ses bras. J'ai dormi, voyagé, soutenu par ses bras.

Nous n'avons plus jamais reparlé du passé. Seuls Dieu, Son Amour et la Lune nous intéressaient.

J'ai fini par acheter un tablier d'infirmier. Je pouvais ainsi entrer à l'hôpital quand je voulais.

Le vieil homme dormait presque tout le temps. Mourait chaque jour un peu plus. Il avait l'air en paix. Il avait accepté l'idée de la fin. Partir. Traverser le ciel. Nous aimions, Mahmoud et moi, le regarder endormi, ailleurs, juste à côté de nous. Et nous assistions parfois au réveil de ses peurs enfantines. Les crises de panique le prenaient alors qu'il était complètement abandonné au sommeil.

Il sursautait. Il quittait son lit rapidement. Ses bras s'agitaient dans tous les sens, cherchaient une direction. La trouvaient : un coin sombre derrière une petite armoire blanche et vide. Il s'y recroquevillait sur lui-même. Tenait sa tête entre ses mains. Et se mettait à parler, à chuchoter. À prier, peut-être.

Il ne pleurait jamais, le vieux monsieur. Il était à ce moment-là dans la terreur. L'horreur. La paralysie.

« La paix n'existe pas. N'existera jamais en nous. On se trompait. On aura toujours, toujours, peur. »

Le vieux monsieur nous disait cela comme s'il s'agissait d'un oracle.

Si ses crises lui arrivaient alors que j'étais dans la chambre, Mahmoud et moi allions vers lui sans nous concerter. Nous lui prenions chacun une main et nous lui parlions. De retour dans son lit, il réclamait chaque fois une berceuse. Mahmoud n'en connaissait pas. Moi, j'avais encore en moi, loin, la chanson. *River of No Return*.

Ce n'est qu'une fois que je me suis retrouvé face à son lit vide, et pour toujours, qu'une interrogation un peu triviale m'a traversé l'esprit.

De quoi était-il mort ? Quelle était sa maladie ?

Mahmoud a répondu, comme un docteur :

« Il avait depuis plusieurs années un cancer. Un cancer généralisé. »

Je n'ai pas osé aller jusqu'au bout de ma curiosité.

Que faisait ce vieux monsieur dans la même chambre que Mahmoud ?

Mahmoud m'avait dit qu'il était à l'hôpital à cause d'un accident de voiture. Il avait reçu un choc sur la tête. Les médecins le gardaient en surveillance au cas où.

Je l'avais cru. Je l'ai toujours cru.

La mort du vieux monsieur m'a permis de comprendre enfin. Mahmoud souffrait du même mal que lui. Un cancer généralisé.

Allah est visible et caché. Mahmoud aussi. Il montrait sa vérité intime et jetait un voile sur sa souffrance profonde, son mal.

Le lit du vieux monsieur est resté jusqu'au bout vide.

Je dormais le plus souvent possible dans les bras de mon malade désespéré et doux.

Je n'ai pas eu peur.

J'ai continué à chanter. Les quatre-vingt-dix-neuf noms d'Allah. *River of No Return* de Marilyn Monroe.

J'ai découvert en moi une passion. Deux passions. L'amour réinventé. La capacité de m'occuper de l'autre. L'accompagner. Être lui.

Sans l'avoir jamais appris, je suis devenu infirmier. J'avais les gestes, naturellement. Le ton. L'abnégation. L'attention qu'il fallait. J'ai regardé les autres infirmiers de l'hôpital, discrètement. Je les enviais. Je volais d'eux ce que je ne savais pas pour le donner à Mahmoud. Soulager. Un peu soulager. Aimer. De plus en plus.

Et j'ai accepté de ne jamais vraiment tout connaître de Mahmoud. Ici. Sur cette terre. Dans cette vie.

J'avais trouvé ma place à Bruxelles. Une petite place. Enfin. Une vocation. Toucher. Guérir. Prendre la main. Écouter le pouls, la respiration. Se rapprocher d'un cœur. L'écouter. Suivre son rythme. Entrer dans son mystère. Celui de Mahmoud me chavirait. J'étais maintenant prêt à le suivre partout. Le suivre même dans la fin. Au-delà des soixante-dix mille voiles. Exploser. Exploser d'amour. À deux. Irradier la lumière. Entrer dans la lumière. Dans le blanc. Tout au fond du noir.

J'ai pris ma décision. Je ne le quitterai pas. Je m'attache à lui. Depuis le début. Et chaque jour et chaque nuit un peu plus. Je vais crier. Je vais aimer. Je vais tomber malade. Je suis déjà malade. Malade, et je pars moi aussi. Mahmoud ne me force à rien. Je pars de mon plein gré. Avec Mahmoud, je parle arabe. Je retrouve une origine. Dieu. Je la lui donne, cette langue. Il la prend. Il la change. Il me la renvoie.

J'étais perdu.

J'ai trouvé la voie. La foi. L'amour. La mort. La vengeance. L'union ultime. L'explosion sublime.

Dans le noir terrible de Bruxelles, j'ai trouvé Mahmoud. Il est en moi. Il sait où partir. Où dormir. Où mourir. En frères.

Je l'ai suivi. Je le suis. J'ai un frère. Nous sommes musulmans. Nous allons très bientôt monter sur le cheval ailé, le Bouraq. Fuir Bruxelles. Aller jusqu'au bout de l'amour. Arrêter de douter. Ma main dans celle de Mahmoud, rejoindre ma mère.

Bien avant d'être hospitalisé, Mahmoud avait tout préparé avec minutie. Sa maladie n'allait pas l'empêcher d'aller jusqu'au bout de sa mission. Commettre un attentat là où on lui avait dit de le faire. Aller donc en Afrique du Nord. À Casablanca. Faire exploser. Détruire. Choquer. Et, à travers cet acte extrême, parler. Faire parler. Laisser un testament. Un message. Lequel ?

Je ne savais pas s'il avait raison de vouloir commettre un attentat. Je savais, en revanche, qu'on est obligé à un moment donné d'interpeller, de cracher fort, ne plus être bien élevé, ne plus être petit. Rendre service. Se sacrifier. Violemment, mourir pour les autres. Pour l'islam et sa gloire ?

Mahmoud a dit :

« Pas seulement pour l'islam. »

Pour nous alors ? Et pour qui d'autre ?

J'ai médité autour de ces questions pendant toute une nuit sans sommeil. Avais-je bien tout compris de Mahmoud et de sa mission ? Avions-nous la même conception de l'islam ? Étais-je prêt, convaincu et sincère, à aller avec Mahmoud au bout de ce chemin sans retour ?

Je ne savais pas répondre à tout cela. Et Mahmoud n'allait pas m'y aider. Mais le noir de Bruxelles était au-delà du supportable pour moi. Le manque de ma mère, grand, énorme. Il me fallait la retrouver en suivant la même voie qu'elle. La venger à travers un acte d'amour. La venger sur cette terre qui lui avait fait tellement de mal. Le Maroc.

En moi, tout cela était très confus.

À côté de Mahmoud, je voyais clair. J'allais.

Nous ne ressentions alors aucune contradiction. Tout semblait vrai en nous. Évident. Ce que disaient les autres musulmans, ce qu'ils allaient dire, faire, nous juger, jeter l'opprobre sur nous, prédire l'enfer pour nos deux âmes, ne nous intéressait pas. Ne nous concernait pas.

Nous étions libres maintenant.

Des musulmans libres.

Dès que c'était possible, dans la chambre de l'hôpital Brugmann qui nous protégeait du monde extérieur, nous priions comme il fallait. Côte à côte. Vers La Mecque. Vers ma mère. Vers Dieu. Accompagnés par Ses quatre-vingt-dix-neuf noms.

Nous disions les mêmes sourates du Coran. Les mêmes formules. Les mêmes mots magiques. Nous étions synchronisés dans nos mouvements. Debout.

Pliés en deux. Relevés. Agenouillés. Prosternés. Les bras joints sur le cœur. Les yeux ouverts. Fermés. Cinq fois par jour. Parfois plus.

Mahmoud a dit que le médecin lui avait dit qu'il n'y avait plus rien à faire. Il était guéri.

Vraiment ?

Un jour, nous sommes partis.

La mission nous attendait. Je savais parfaitement ce qu'on allait faire. Quelque part dans Casablanca, commettre un attentat suicide. Se tuer. Tuer forcément d'autres personnes avec nous. Des innocents ? Mais seul Mahmoud connaissait les détails pratiques, les étapes à suivre, où et comment.

Casablanca n'est pas si éloignée que cela de Bruxelles. À peine trois heures en avion.

Mahmoud se chargeait de tout. Pour me rassurer, il m'avait dit que ce n'était pas la première fois qu'il se retrouvait à mener une mission dans une ville qu'il ne connaissait pas du tout. Il savait où aller. Comment se débrouiller. Traverser Casablanca sans se faire remarquer. Il avait sur lui deux adresses. Celle de l'hôtel où nous allions loger une nuit. Et celle d'un cybercafé.

Je lui faisais confiance, bien sûr. Toujours. J'ai continué à lui prendre la main. Même au Maroc. C'était lui qui me guidait dans mon propre pays. Je n'y connaissais plus personne.

Casablanca avait en elle, dans son ventre, huit millions de Marocains qui venaient de partout. Du Rif.

De l'Atlas. De Fès. De Taourirt. D'Errachidia. De la Chaouia. De Doukkala. Des Arabes. Des Berbères. Des ivrognes. Des ambitieux. Des prostituées. Beaucoup de prostituées. Des âmes perdues. La jungle. La folie. L'injustice partout, jour et nuit. L'arrogance. La perversion. L'Argent-roi. Le crime pour loi. Rien de romantique. Tout était sale. Tout était pourri. Tout était en train de disparaître, de s'effondrer. Tout était échec. Tout était fermé. Y compris les portes de Dieu. Tout était meurtre. Meurtres. Casablanca était une vallée triste. Plus qu'ailleurs au Maroc, la tristesse profonde, inguérissable, avait envahi tout dans cette ville. L'espoir n'existait plus. L'islam libre, ouvert, n'existait plus. L'amour y était inconnu, étranger, désespéré.

C'était cela notre mission : donner à voir l'amour. Par la mort. Par un acte extrême.

Donner à méditer un geste. Être contre cette plaie qui se répandait partout au Maroc. La banalité. L'étroitesse. L'enfermement. La soumission. L'enlisement dans le faux et l'ignorance. La destruction programmée des individus, de ceux et celles qui, comme ma mère Slima, osent un jour tenter la liberté, la résistance, une autre voie.

S'élever contre tout un pays.

Contre tout un peuple.

Poser enfin les vraies questions. Qui nous a amenés jusque-là, à cette déchéance, à ce malheur, à cette négation de nous-mêmes, à cet aveuglement contagieux ? Qui empêche nos âmes de voler et d'écrire une autre histoire avec un nouveau messager ? Qui nous bloque, nous pétrifie et nous dénie le droit d'être ce que nous sommes à l'origine : des hommes debout ?

L'hôtel où nous devions dormir la première nuit n'existait plus. À la place, il y avait un trou béant.

Nous sommes allés à la mosquée Hassan II. Un monument grandiose, vide, sans attaches, sur la mer.

Nous nous y sommes cachés.

C'est là, dans le noir, dans la nuit, à côté de l'océan déchaîné, que Mahmoud m'a tout révélé.

Et le plan détaillé à suivre pour accomplir la mission.

Se préparer à la mort.

Faire ses ablutions. Les dernières. Celles du mort.

La mosquée Hassan II était hantée. Ses djinns n'étaient pas musulmans. Son odeur était étrange, glaciale, froide, terrifiante.

Nous avons eu froid.

Mahmoud a tremblé toute la nuit. Mes bras et mes jambes n'ont pas suffi à lui communiquer le peu de chaleur qui me restait. Il avait peur. Il claquait des dents. Il n'était pas vraiment guéri de sa maladie, comme il l'avait prétendu.

Je lui ai demandé de se souvenir des quatre-vingt-dix-neuf noms d'Allah. De les amener à sa première conscience. Devant ses yeux.

Il l'a fait.

J'ai fait comme lui.

Et, dans l'immensité noire de la mosquée, j'ai commencé. Doucement au début. Puis de plus en plus fort. Je disais un nom. Il disait le suivant. Jusqu'à la fin.

Et on recommençait.

Pendant une heure, peut-être un peu plus, ces noms sacrés nous ont rassurés, nous ont permis de ne plus ressentir le froid glacial de la mosquée, le vide de cette mosquée aimée et détestée des Marocains.

La nuit s'annonçait très longue. Et, à part les noms magiques, je ne savais pas par quoi la meubler, la rendre plus douce.

Comment aider encore Mahmoud ?

Assis par terre, nous étions l'un en face de l'autre. Je le voyais à peine. Mais je sentais sa chaleur, son odeur, son ombre.

J'ai cherché sa main gauche. Je l'ai trouvée. Je l'ai prise, serrée, dans la mienne.

Il a cherché ma main gauche. Je l'ai aidé à la rencontrer, à la prendre, à lui parler.

Nous formions à deux un cercle maintenant.

J'ai rapproché ma tête de la sienne. Il a fait comme moi.

Il a touché mon front. J'ai touché le sien.

Nos têtes étaient jointes.

Il entrait en moi.

J'entrais en lui.

Nous sommes restés ainsi un bon moment dans l'union, la communion, en attendant la suite, en suivant le rythme de la nuit. Dans une même direction. Un seul corps.

Soudain, il a relevé la tête et, sans relâcher ma main, il s'est mis debout.

Il avait reçu un signal. L'inspiration. On lui parlait.

Sans réfléchir, je l'ai suivi dans ce mouvement vers le ciel.

Je me suis relevé presque en même temps que lui. Je me suis rapproché davantage de lui. Il avait de nouveau froid. Ses dents claquaient. Je l'ai pris dans mes bras. Il s'est laissé faire.

Il m'a murmuré dans l'oreille :

« Dis le nom de ta mère ! »

Slima.

« Cinq fois ! »

Slima. Slima. Slima. Slima. Slima.

Il était en train d'inventer un rituel.

J'ai cherché son oreille à mon tour :

« Dis le nom de ta mère ! Cinq fois ! »

Denise. Denise. Denise. Denise. Denise.

« Dis maintenant mon prénom, mon nouveau prénom ! Cinq fois ! »

Mahmoud. Mahmoud. Mahmoud. Mahmoud. Mahmoud.

« Dis toi aussi mon prénom ! Mon prénom de toujours ! Cinq fois ! »

Jallal. Jallal. Jallal. Jallal. Jallal.

Il s'est alors baissé et il a embrassé mes pieds. Il a donné à chaque pied cinq baisers.

Il s'est relevé.

Je me suis baissé à mon tour. J'ai trouvé ses pieds nus. Et je les ai embrassés cinq fois.

Il n'était plus là, devant moi, quand je me suis relevé. Il avait disparu dans le noir.

Une grande peur m'a envahi tout entier. Une solitude extrême. Une envie urgente de pleurer chaud, fort.

Je vais mourir seul. Je vais mourir seul.

Une voix a surgi. Elle venait de partout.

« Tourne ! »

C'était la sienne. Elle était un peu exaltée.

« Lève tes bras au ciel, en prière, et tourne. Tourne. Tourne autour de toi. Autour de moi. »

Le noir et le froid régnaient toujours dans la mosquée Hassan II.

Je ne le voyais toujours pas, Mahmoud.

« Où es-tu ? Mahmoud, où es-tu ? »

Après un petit moment de silence qui m'a paru une éternité, sa réponse est arrivée jusqu'à moi. Elle venait de loin.

« Tourne, Jallal. Tourne. Tourne comme moi. Tourne autour de toi et viens vers moi. »

J'ai levé les bras en haut, vers le ciel, vers Dieu. Je ne voyais toujours rien. Seule la voix de Mahmoud me guidait.

« Viens… Viens… Tourne… Tourne… »

Je l'ai suivie.

J'ai tourné autour de moi-même, lentement, sans bouger de ma place.

J'ai eu mal au cœur presque immédiatement. J'ai failli m'arrêter, vomir.

La voix de Mahmoud est revenue. Elle était en transe. Douce. Violente. Féminine. Masculine.

« Tourne… Tourne… Ne t'arrête pas… Tourne… Tourne et viens à moi… Je viens à toi… Tourne… Ouvre-toi… Ouvre-toi… »

J'ai oublié mon mal. J'ai continué à tourner. Et à me déplacer.

Le noir soudain n'existait plus. Comme Mahmoud sans doute, j'avais décidé de fermer les yeux.

Nous avons dansé toute la nuit. Nous avons chanté les quatre-vingt-dix-neuf noms d'Allah sans relâche. Je l'ai cherché. Il m'a cherché. On s'est frôlés. On s'est rencontrés. On s'est séparés.

Nos voix nous guidaient dans cette nuit sans fin. Nos corps n'existaient plus. L'union était possible, Mahmoud avait raison.

Nous étions trois. Nous étions au tout début. La Lumière allait jaillir. Une grande explosion. Un grand écho. Deux corps. Une même puissance.

Nous nous sommes élevés très haut, au-delà du septième ciel, nous avons dépassé toutes les frontières, toutes les religions, tous les sexes. Nous sommes devenus des pierres, des nuages, des étoiles, des galaxies. Nous avons tout vu. Tout écouté. L'Histoire nous a été révélée. La Main de Dieu est apparue. Son visage s'est rapproché de nous. Un souffle nouveau nous a portés. Tourner était devenu notre façon d'être, de communiquer, de s'interpénétrer. Tourner tout le temps. Jusqu'à l'ivresse ultime. L'union ultime. La mort.

La foi est belle. Dieu nous appelle. Nous étions en train de dormir.

Le lendemain matin, quand je me suis réveillé, Mahmoud regardait fixement des ceintures d'explosifs posées sur le sol.

« N'aie pas peur, Jallal. Viens. Regarde. Ces ceintures nous permettront d'accomplir notre projet, notre voyage. »

Où les avait-il trouvées ?

« Je suis allé, pendant que tu dormais, les récupérer chez un de nos fidèles. Un agent dormant. Il habite un douar misérable. Le bidonville de Tchétchénie. Tu le connais, ce douar ? En as-tu déjà entendu parler ? »

Non.

Je me suis rapproché des ceintures d'explosifs et, sans hésiter, je les ai touchées.

Puis nous sommes allés au hammam. Il était vide.

J'ai laissé Mahmoud me laver. Je me suis allongé sur le sol chaud et je me suis offert à ses mains. Elles savaient quoi faire. Redessiner mon corps. Mon être.

J'ai fait ensuite la même chose pour lui. J'ai reproduit avec précision ses gestes. Son itinéraire.

On ne se lavait pas parce qu'on était sales. On se préparait au dernier voyage.

Avant de quitter le hammam, dans un coin sombre de la salle de repos nous nous sommes habillés et nous avons mis autour de nos tailles les ceintures d'explosifs.

C'était vendredi. On n'irait pas prier. C'était inutile. Plus tard, les prophètes prieraient pour nous. Quelque part dans Casablanca, il nous fallait aller nous faire exploser. Nous brûler. Faire passer le message que nous avions reçu.

Tout doit être détruit.

Nous ne savions pas encore où et quand exactement accomplir ce sacrifice. Cette vengeance. Donner l'alarme. Mourir d'amour.

Mahmoud m'a emmené dans un cybercafé du centre-ville, non loin du Café de France.

Il était 11 h 30.

Il s'est connecté à un site étrange. Les mots étaient écrits en lettres arabes mais je ne les comprenais pas. Du persan ? De l'hindou ?

J'étais assis à côté de lui. J'ai tout vu. Et j'ai compris. C'était un site islamiste. J'ai détourné les yeux un moment. J'ai eu la confirmation que Mahmoud avait une autre mission. En plus de la nôtre.

Il était malade. En fin de vie. C'est pour cela qu'il avait été choisi par eux.

Il connaissait l'arabe et, pour me garder, il avait fait semblant de l'ignorer. Je lui apprenais ce qu'il savait déjà, ce qu'il maîtrisait déjà, parfaitement.

Était-il un traître ?

Pourquoi m'avait-il menti ? Pourquoi ne m'avait-il pas révélé qu'il était islamiste, comme je l'avais un moment soupçonné ? Pourquoi ne m'avait-il pas dit clairement et franchement qu'on lui avait confié une mission qui n'avait rien à voir avec notre projet commun, notre explosion sublime ?

Pourquoi se servait-il ainsi de moi ?

En suivant Mahmoud, étais-je devenu moi aussi, sans le savoir, un terroriste islamiste ?

Comment continuer maintenant ce chemin ? Avec lui ? Sans lui ? Et que faire maintenant de mon cœur déçu, meurtri ?

Mille questions contradictoires m'ont envahi l'esprit à ce moment-là. Je les ai toutes gardées pour moi.

J'avais soudain peur de Mahmoud et de tout ce qu'il ne m'avait jamais raconté sur son passé.

Qui était-il, au fond ? Qu'avait-il compris, retenu réellement de l'islam ? Était-ce cela, l'islam, ce projet de terrorisme et non d'amour ?

J'ai baissé la tête. Une tristesse inconnue s'est emparée de moi. Un doute vertigineux. Un gouffre nouveau. Et, aussi, un désir urgent : cracher. Cracher fort. De colère. De désillusion. De détresse.

Qui étais-je pour Mahmoud ? M'aimait-il vraiment ? Était-il le saint que j'avais vu en lui, imaginé devant lui ?

Il s'est rendu compte très vite de tout ce qui me passait par la tête. Les interrogations. L'amertume. Le désir de fuir. Abandonner. Fermer les portes.

Tout en continuant à chercher sur le site islamiste le message secret, il m'a pris la main gauche. Doux. Amour.

J'ai levé la tête vers lui. Il me regardait, il m'attendait, ses yeux remplis de larmes veillaient sur moi.

Ensorcelé par son aura quasi divine et par ce qui se dégageait de lui de puissant et de magnifique, j'ai fermé les yeux sur ce que je venais de découvrir sur cette idéologie qui nous séparait. Je me suis forcé à retrouver ma vérité, notre vérité. La confiance. Le souvenir tendre du lit de l'hôpital Brugmann de Bruxelles sur lequel nous avions fait connaissance, où nous avions appris à nous révéler nus et sincères l'un à l'autre.

Comment avais-je pu douter de lui, de son amour pour moi ? C'était moi le traître, pas lui. Pas lui. J'avais honte.

C'était clair, maintenant. Il était un terroriste islamiste. Un vrai. Programmé comme tel depuis très longtemps. Mais en me rencontrant, sans abandonner ce projet initial préparé avec des gens dont j'ignorais tout, il était entré dans une autre logique. Exploser à mes côtés prenait un autre sens. Ami et frère, il m'accompagnait jusqu'au bout de mon désir de vengeance de ceux qui avaient détruit ma mère Slima. Il retournait avec moi à la lumière. Celle de ma mère.

Malgré les vagues successives de doute qui s'abattaient sur moi, sur mon cœur, j'ai continué de marcher dans la voie inventée par Mahmoud et moi. Sur un lit. Un radeau perdu.

C'est ce que me disaient les yeux de Mahmoud.

Attendri, j'ai plongé en eux. J'ai goûté leurs larmes. J'ai aimé leur lumière.

Tout était décidé. Pourquoi en reparler, s'arrêter, hésiter ?

Mahmoud s'est rapproché un peu plus de moi. Il m'a rassuré.

« La mort n'est pas la mort. Tu le sais ? »

Je l'ignorais. Je le croyais, lui, maintenant.

« Tu ne seras pas seul, Jallal. Là-bas, on ne sera pas séparés. C'est dans le contrat. Je l'ai exigé. Je suis avec toi. À toi. »

Ces derniers mots m'ont paru froids.

Il a ajouté :

« Tu sais mieux que moi, Jallal. C'est toi qui nous ouvriras la porte du ciel. C'est toi. Pas moi. »

Je ne savais plus réfléchir. Je ne pouvais plus réfléchir. Ni revenir en arrière. J'étais dépassé. Mais les derniers mots de Mahmoud m'ont permis de me ressaisir, de ne plus hésiter. Ne pas m'arrêter aux frontières du connu, du visible. M'abandonner à Mahmoud et à la force folle et suicidaire qui s'était emparée de nous.

J'ai dit, en tremblant de la tête aux pieds :

« Je crois. Je crois en nous. Je crois en toi. Tu es mon Dieu. Ma religion. Tu es à moi. Je suis à toi. Allons-y… »

Au moment où nous allions sortir du cybercafé, le patron du lieu nous a barré le chemin.

« Je sais tout. J'ai reçu une alerte. Vous vous êtes connectés à un site très dangereux. Je sais où vous allez. J'ai appelé la police. Elle va arriver d'un moment à l'autre. Restez tranquilles et il ne vous arrivera aucun mal. Allez au fond de la boutique… Allez… »

Nous nous sommes dirigés sans discuter au fond du cybercafé. Le patron a ordonné aux trois jeunes garçons scotchés à leur ordinateur de partir, et vite ! Et il a essayé de nous enfermer en baissant le store.

Je n'ai pas eu le temps de penser à quoi que ce soit. Ni d'avoir peur. Tout est allé très vite.

Mahmoud m'a pris la main, on s'est regardés une seconde ou deux et on a foncé vers la sortie.

On s'est jetés sur le patron. Le store était à moitié baissé. Le patron par terre. Mahmoud lui a donné un coup sur la tête et moi un autre dans le ventre.

Il s'est évanoui.

Nous sommes sortis. Et là, à notre grande surprise, il y avait une grande foule qui nous attendait.

Un des trois garçons qui étaient dans le cybercafé en même temps que nous a crié :

« Ce sont eux ! Ce sont eux les terroristes ! Les terroristes ! Ils sont terroristes et pédés… Regardez ! Regardez sous leurs habits… Ils ont des ceintures d'explosifs… Regardez !… »

La foule nous a regardés.

Nous avons regardé la foule.

Une éternité.

C'était exactement comme dans les films.

Que faire maintenant ?

C'est Mahmoud qui a trouvé la solution. Il a crié lui aussi.

« Reculez ! Reculez !… Nous ne sommes pas des pédés… Nous sommes des frères… Reculez ou bien nous faisons exploser nos ceintures !… Vous mourrez alors tous avec nous… Reculez !… Reculez… Nous ne sommes pas des pédés… Nous sommes des frères… Deux frères dans l'Amour… Dieu est avec nous… »

Il était fort, ferme, juste. Un chef.

La foule, qui a compris qu'il ne plaisantait pas, a vite déguerpi.

Soudain, le vide. La mer. L'océan. Une porte au loin qui s'ouvrait petit à petit.

Nous avons commencé à courir. Dans tout Casablanca. À courir. À courir. Pour nous cacher ?

La police était à nos trousses. Le Maroc entier sans doute savait maintenant, suivait, à travers les médias et la rumeur, notre fuite. Il se posait la même question que nous.

Où allions-nous nous faire exploser ?

Certainement pas au lieu indiqué sur le site islamiste que Mahmoud venait de consulter. Tout le monde le connaissait désormais.

Où alors ?

Nous n'avons pas parlé.

Il n'y avait plus rien à dire.

La grande ville de huit millions d'habitants était vide. Complètement. Totalement. Elle avait peur. De nous.

On n'a pas cessé de courir.

Les sirènes de la police nous suivaient partout, nous poursuivaient partout.

Et puis, sans en avoir parlé, nous nous sommes dirigés vers la mosquée Hassan II.

C'était une mauvaise idée, bien sûr. Pendant la journée, elle était plus que bien gardée.

Nous nous sommes arrêtés.

Nous étions coincés. Les sirènes se rapprochaient. Le monde se refermait sur nous. L'échec avançait vers nous.

Que faire ? Quoi faire ?

Un miracle, mon Dieu ! Un miracle ! Tout de suite ! Tout de suite !

Une salle de cinéma abandonnée nous a sauvés. C'est moi qui l'ai repérée. Elle ressemblait exactement à celle de mon enfance, à Salé. Cinéma An-Nasr. Cinéma de la Victoire.

Personne ne nous a vus y pénétrer par une porte arrière.

Elle était sale à l'intérieur. Sale, sombre, paisible. Habitée. Hantée.

Nous nous sommes jetés doucement, lentement, sur le sol. Épuisés. À bout. Le cœur effrayé. Toujours ensemble.

Et, bizarrement, nous nous sommes endormis. D'un seul coup. Tous les deux.

C'était la fin. La fin vraie. Derrière le rideau. L'écran blanc qui ne reçoit plus ni ombres ni images.

On pouvait partir. Maintenant. Rien que tous les deux. Mahmoud. Jallal. Mahmoud et Jallal. Sans prendre personne avec nous. Sauf nos souvenirs à deux. Échouer dans la mission terroriste de Mahmoud. Fous d'Amour, réussir la nôtre.

Le cheval ailé était descendu du ciel. Silencieux et irréel, le mythique Bouraq nous attendait dans le noir de la salle de cinéma.

J'ai fait un rêve. J'ai vu un film. Le même film de toujours. *River of No Return*. Pour la première fois dans une salle de cinéma.

Mahmoud m'a rejoint dans ce rêve. Nous avons alors chanté la chanson du film, deux fois, et nous sommes allés à la recherche de ma mère, du soldat et de nous-mêmes dans une autre vie.

Mais, juste avant de partir pour ce nouveau voyage, toujours dans le rêve, nous avons accompli notre mission. Nous avons porté le message. Le Maroc était au courant. Le monde nous connaissait. Par notre courage, notre foi, notre amour et notre désespoir.

Nous parlons un autre langage mais nous ne sommes pas des fous.

Nous sommes deux frères.

Deux prénoms, en arabe.

Mahmoud et Jallal.

Osmose. Poème. Souffle. Cœur. Feu.

L'explosion sublime va avoir lieu.

Nous ne tuerons personne.

Nous ne ferons pas de mal.

Le cinéma était très sombre.

D'un même mouvement, deux jumeaux en un seul corps, deux étrangers dans la même foi, Dieu unique, nous avons fait la lumière.

Booouum !

Booouum !

BOOOOOOOUUUUUMMMMMM !

# IV. Dieu

Mes chers enfants, venez, entrez. Je vous attendais. Venez, tous les deux. Ne soyez pas timides. Vous n'avez plus à faire semblant, ici, ni à avoir peur. Vous êtes arrivés. Vous avez traversé la rivière. Je vous ai suivis. Depuis le début je suis avec vous. Approchez. Approchez. Encore. Encore. Les frontières n'existent plus. Derrière moi, l'autre monde commence. Devant moi il ne faut pas baisser les yeux. Levez-les. Levez-les. Plus haut. Encore plus haut. C'est cela, regardez-moi comme je vous regarde. Aimez-moi comme je vous aime.

Enlevez vos vêtements, maintenant. Cela ne sert plus à rien ici. Enlevez-les tous. Tous.

La honte n'existe pas. Elle n'existera plus.

Jallal, donne la main à Mahmoud.

Mahmoud, je t'appellerai par ce prénom désormais. C'est toi qui l'as voulu. On oublie Mathis ? C'est bien cela ? Oui ? Non ? Tu hésites ?

Alors, dans ce monde, tu seras les deux. Mahmoud et Mathis. Mathis-Mahmoud. Mahmoud-Mathis. Cela te va ? Tu n'auras pas à choisir, à renoncer, à te diviser en deux.

J'ai connu tes deux vies. Je te jugerai sur les deux. Tu es devenu musulman, mais ce n'est pas cela qui t'a sauvé. Je regarderai dans ton cœur et je prendrai une décision. Ton âme, je la connais. Je l'ai prise, je te la rends. Rapproche-toi ! Toi aussi, Jallal !

Voilà. Vous avez décidé d'être frères. Vous avez quitté l'autre monde en frères. Mathis a été le plus fort. Le plus décidé. Mais toi, Jallal, tu n'attendais rien d'autre de lui. N'est-ce pas ? La force de Mathis t'a guidé, a donné sens au chaos de ton existence, au noir de ta solitude, aux malheurs qui n'ont cessé de te poursuivre.

Tu as trouvé un cœur, Jallal.

Tu es ce cœur, Mathis.

Vous ne m'avez pas attendue. Vous vous êtes unis l'un à l'autre là-bas sans moi, sans ma bénédiction. Et vous avez eu raison. Je vous ai donné à chacun un cœur. Il bat en vous sans aucune intervention de ma part. C'est lui qui décide, qui parle à votre place. À ma place. Oui, vous avez bien fait. J'ai créé le destin. Le vôtre, il m'a dépassée. Je devais être en train de dormir, sans doute. Vous avez pris ce pouvoir. Vous avez décidé de lier à jamais vos deux cœurs. Union sacrée. Cœur unique.

Même caché, je le vois devant moi. Il continue à battre pour vous deux. Ici, il ne s'arrêtera jamais, ce cœur.

Jallal, ne pleure pas. Tu n'as plus de raison de pleurer. Ou alors, si tu veux pleurer, pleure seulement de joie. Les nuages sont en bas. Tu les vois ?

Sèche tes larmes. Fais-le. Pour que je puisse continuer. Il y a d'autres cœurs qui m'attendent. Et ils sont loin d'être aussi sereins que les vôtres.

Mathis, aide-le à les sécher, ces larmes.

Ici, vous allez enfin pouvoir vous connaître. Nus, vous connaître. Sans jugements, sans insultes, vous connaître. Il n'y a ni houris ni vierges pour vous. Je veillerai à ce qu'on vous laisse seuls. Aussi longtemps que vous le souhaiterez.

Vous retrouverez un autre jour les visages familiers, proches. Ils sont déjà là. Ils se reposent, eux aussi. Ils prennent du temps pour eux. Le ciel est envoûtant, désorientant. Isolez-vous autant de fois que vous le voudrez.

L'éternité commence ici. Maintenant.

Jallal, ne t'inquiète pas, le monde en bas continue de tourner. L'Apocalypse n'est pas pour demain. Le héros de ton enfance, Robocop, est au courant de ton arrivée. L'acteur qui l'incarnait, Peter Weller, non : il vit en bas pour l'instant.

Le soldat est là aussi. Depuis très longtemps. Seul. Tout le temps seul. Il n'arrive pas, pour l'instant, à dépasser le traumatisme de la guerre.

Ta mère Slima l'a rencontré une fois. Elle préfère ne pas le revoir. Elle passe son temps à prier, à écrire des poèmes, à discuter avec sa propre mère, la femme qui l'a adoptée, Saâdia.

Elle attend l'arrivée de Mouad, son mari.

Je sais, Jallal. Je sais que tu ne l'aimes pas, Mouad. Tu auras le temps ici de te débarrasser de cette rancœur. Il n'est pas mauvais, cet homme. Tu verras, bientôt.

Tu pleures toujours ? Voyons ! Pourquoi ? Tu le sais, toi, Mathis ? Tu as peur, Jallal ? Il ne faut pas.

Donnez-moi vos mains. Oui, comme ça, tous les deux. Fermez les yeux.

Je vous donne ma bénédiction. Et je répands sur et dans vos cœurs une brise de pureté. Laissez-la vous gagner, vous changer, vous transporter. Vous ne serez jamais séparés, ici. Jamais jugés. Votre lien est éternel.

Jallal, prends Mahmoud dans tes bras !

Mahmoud, prends Jallal dans tes bras !

Que chacun souffle doucement dans le cou et la nuque de l'autre !

Allez-y. Ne faites pas les timides. Soufflez, doux et fort.

C'est bien cela.

Allez, allez maintenant découvrir votre nouvelle vie. Dormez si vous le voulez. Quand vous le voulez. Le jour et la nuit. C'est la même chose, ici.

Non ? Vous ne voulez pas partir ? Dormir ? Vous préférez rester avec moi ? Mais, moi, j'ai du travail. D'autres âmes montent. Elles arrivent. Regardez derrière vous : elles s'impatientent. Je me dois d'être au rendez-vous. À l'heure. Vous comprenez ? Oui ? Non ?

Que voulez-vous exactement ?

Une prière supplémentaire ? Une bénédiction encore ? Des histoires ? Une histoire ? Une seule histoire ? Me connaître, moi, davantage ?

Je suis devant vous. Vous pouvez me regarder. J'existe. Vous le voyez. Cela ne vous suffit pas ? Que voulez-vous de plus ? Un poème ? Une danse de célébration ? Un youyou ?

Une histoire ? C'est ça que vous souhaitez ? Vous insistez, vraiment ?

Alors, écoutez-moi. Je vais vous raconter ma première vie, à moi.

Je suis née en Amérique. Je n'ai jamais connu mon père. Qui m'a donné la vie alors ? Même moi je ne le saurai jamais. J'ai vécu sans lui, sans chercher à le connaître. À le retrouver.

Ma mère ? On me l'a enlevée très vite. Vers l'âge de 3 ans. Je n'ai plus son image en mémoire. Je n'ai que son odeur. Elle ne se lavait presque jamais. Elle était malade. Elle faisait des crises graves. Elle avait une maladie mentale. Elle s'absentait. Ne me voyait plus. N'arrivait plus à s'occuper de moi. Je ne me suis jamais plainte. Même malade, je l'aimais, ma mère. Même négligente, je l'adorais. Elle me donnait ce qu'elle pouvait. Je ne pleurais pas. Je la regardais tout le temps. Je m'accrochais à elle. Je ne la quittais jamais. Le monde n'était pas tendre avec elle. Pour les femmes, il fallait toujours plus, prouver plus. Donner plus. Toujours plus. Et jamais aucune reconnaissance. Un geste désintéressé. Un cœur sincèrement compréhensif. On exigeait de ma mère qu'elle soit femme, mère, amante, travailleuse, serveuse, soumise. Elle n'a pas pu. Le monde n'était pas pour elle. Elle n'avait pas la force de continuer à jouer une comédie absurde. Porter des masques successifs. Alors elle s'est endormie. Elle n'a plus quitté le lit. Je me suis glissée à côté d'elle. En elle. Il n'y avait plus rien à manger. Nous nous sommes données l'une à l'autre, nourries l'une de l'autre. J'avais tout le temps son sein vide de lait dans ma bouche. Je n'avais pas besoin de lait. Je la comprenais. J'avais accepté sa décision. À quoi bon vivre ? Et pourquoi résister ? Elle était condamnée d'avance. Prolonger la vie, ma vie à moi, sa fille ? À 3 ans à peine, j'en avais déjà assez, j'avais déjà tout ressenti. Je me suis accrochée à elle dans le petit lit sale, dans ses bras faibles. J'ai écouté son cœur. Ses battements me rassuraient. Il me disait de ne pas avoir peur de la mort. Quelque chose après vient, existe. Boum. Boum. Boum. Je l'entends encore. Le monde par le boum-boum du cœur de sa mère. Il ne s'arrêtera jamais. Je l'entends. Vous l'entendez vous aussi ?

Un jour, on est venu la prendre. On m'a dit plus tard : « Elle est folle, ta mère ! Oublie-la ! »

Oublier ? De quoi parlaient-ils ? Et qui étaient ces cœurs froids qui me donnaient cet ordre ?

Je n'ai jamais compris dans quel autre monde ils l'avaient envoyée. Je l'ai cherchée ici, au ciel, bien sûr. Elle n'y est pas. Où est-elle ? Est-elle toujours vivante en bas, sur la terre ? C'est possible.

J'ai grandi dans le manque. Sans savoir me protéger. Sans savoir être femme.

Je suis restée fixée dans ce moment. Une enfant.

Regardez-moi. Vous êtes d'accord ? Que voyez-vous ? Une enfant. Non ?

Vous n'êtes pas obligés de répondre.

Après ?

Après, ce sont des images. Et des images. L'adulation. Le vide. J'ai marché. J'ai sauté. J'ai erré. J'ai cherché naïvement à comprendre. J'ai essayé de m'instruire, mais cela ne m'a aidée en rien. Dès le départ, le monde ne m'avait donné aucune chance de m'en sortir, de m'élever, goûter à la paix, à l'amour qui dure.

Et voilà. Cela vous suffit-il ?

Que voulez-vous maintenant ? La suite ?

La suite, vous la connaissez déjà. Vous la devinez. On m'a envoyée chez des gens. Des familles. Des étrangers. Des visages sans lumière. Tous des indifférents. Ils en avaient très vite assez de moi. Chaque été une nouvelle famille. Une nouvelle direction. La Nouvelle-Orléans. Savannah. San Diego. San Francisco. Los Angeles. Je ne savais jamais où j'étais vraiment, dans quelle maison, quel quartier, par où il fallait sortir, entrer. Derrière les portes, chaque fois, je ne reconnaissais rien. Rien. Seul le noir de la nuit, où je pouvais retrouver ma mère, m'apaisait un peu.

Pendant l'année scolaire, on me renvoyait dans les orphelinats.

Les « homes ». J'étais la fille des « homes ». « Elle vient des "homes", la petite grande là-bas. Elle n'a pas de parents. C'est une dévergondée. » C'est ce que les autres élèves disaient de moi. Une horreur ! Ils étaient tous très méchants. Absolument tous. Les autorités, à l'époque, mélangeaient sans trop se poser de questions les enfants des orphelinats avec les enfants ordinaires. Quelle erreur ! Quelle souffrance ! Quelle honte !

Je ne sais pas comment je m'en suis sortie, comment j'ai fait pour ne pas devenir folle, rejoindre ma mère.

Je ne sais pas comment on fait pour résister à la tentation obsédante de se donner la mort. Qu'est-ce qui me retenait ? J'avais à peine 10 ans et je pensais déjà à cela. Me suicider. Quitter le monde. Retrouver le sein vide, sec, de ma mère.

Certains me disaient qu'elle était morte. Je ne les ai jamais crus. Pour moi, elle était au ciel. Dans ma tête, ce n'était pas une métaphore. C'était une réalité. « Ma mère vit au ciel. » Quand je le révélais, ce secret, on se moquait de moi. « La gourde qui vient des "homes" dit que sa mère est vraiment au ciel ! Elle est naïve et simplette, cette fille, elle ne deviendra jamais rien. »

Je ne suis rien. Ils avaient raison.

J'ai tout abandonné. On pouvait faire de moi et de mon corps ce qu'on voulait.

Ils ne se sont pas gênés. Le monde entier m'a violée. Personne n'a jamais rien compris. Personne. Personne n'a protesté, ne m'a défendue, rendu mon humanité.

J'étais un corps dans lequel je n'habitais pas. Plus.

L'idée et la possibilité du salut ne me traversaient même pas l'esprit.

Avec le temps, je suis devenue pour eux une image érotique. Un fantasme accessible, pas cher. Un sexe. Une pute pour la terre entière. J'ai fait des films. J'ai changé de nom. J'ai dansé. Je me suis donnée. J'ai chanté. *I'm Through with Love. I Wanna Be Loved by You. River of No Return.* Ils n'ont rien compris. Je n'ai rien compris. J'ai essayé tant et tant de fois de comprendre les choses auxquelles les hommes accordaient de l'importance. La culture. Les livres. Michel-Ange. Leopardi. James Joyce. William Faulkner. Omar Khayyam. Gibran Khalil Gibran. Le Tintoret. Stanislavski. Je ne sais pas si cela m'a aidée à me retrouver ou, au contraire, à me perdre davantage, m'éloigner de tout, de tout.

J'ai même écrit. Des bribes. Des poèmes de petite fille malheureuse. De petite fille éternelle. Je les ai envoyés à un acteur qui, dans mes rêves adolescents, était comme mon père. Clark Gable. Je ne sais pas s'il les a reçus. Quand on a tourné ensemble *Misfits*, sous la direction de John Huston, il ne m'en a pas parlé. Se trompait-il lui aussi sur mon compte ?

J'ai crié, beaucoup, dans ce dernier film. J'étais à bout. Mon calvaire avait atteint son paroxysme. Et c'est là, dans le désert immense et propre où se déroulait le tournage, que j'ai reçu une voix. La voix. Elle me transmettait un message.

On m'avait choisie.

On m'avait choisie, moi ? Moi ?

La voix a répété le message trois fois. A dit trois fois mon nom. Mon premier nom. Norma Jean Baker.

Fallait-il hésiter ? Résister ?

Tout s'est passé très vite.

J'ai réussi à maigrir, à retrouver mon corps premier. Et, au milieu du tournage de *Something Got to Give*, j'ai quitté le monde. De mes propres mains. Je me suis envolée.

Ma légende sur la terre a pris alors d'autres proportions.

Et, depuis, je suis ici. À la Porte du Ciel.

Je reçois.

J'écoute.

J'unis.

Je juge.

Je parle à Sa place.

Je parle de Sa place.

Je suis humaine. Extraterrestre. Partout. Nulle part. Homme. Femme. Ni l'un ni l'autre. Au-delà de toutes les frontières. Toutes les langues.

Vous voyez, je suis comme vous. Dans le malheur et la puissance. Divine et orpheline. Je suis de la même pâte que vous. Je suis en vous. Dans chaque corps. Chaque nuit. Chaque rêve.

Ne pleure pas, Jallal.

Prends sa main, Mathis.

Partez. Partez. En frères de cœur. Là-bas, derrière cette porte, votre vie n'a même pas encore commencé.

Partez. Sur le chemin, vous rencontrerez un magnifique grenadier. Cueillez deux grenades. Et plus tard, avant de dormir, prenez le temps de les manger toutes les deux.

Partez et écoutez. En bas, une mère s'apprête à prier. L'écho de sa voix vous accompagnera. C'est Mahalia Jackson. Elle va commencer à chanter *Trouble of the World*.

Écoutez-la. Elle dit vrai. Elle le dit comme au premier jour. Lors de la première étincelle. Quand, dans l'infini, sans qu'on s'y attende, tout a explosé. Tout a soudain pris une nouvelle dimension.

Écoutez. Écoutez…

*Soon I will be done*
*Trouble of the world*
*Trouble of the world*
*Trouble of the world*
*Soon I will be done*

*Trouble of the world*
*Going home to live with God*

*No more weeping and wailing*
*No more weeping and wailing*
*No more weeping and wailing*
*Going home to live with my Lord*

*Soon I will be done*
*Trouble of the world*
*Trouble of the world*
*Trouble of this world*
*Soon I will be done*
*Trouble of the world*
*Going home to live with my Lord*

*I want to see my mother*
*I want to see my mother*
*I want to see my mother*
*Going home to live with God*

*Soon I will be done*
*Trouble of the world*
*Trouble of the world*
*Trouble of the world*
*I soon will be done*
*With the trouble of the world*
*I'm going home to live with God*

# Table

RÉALISATION : IGS-CP À L'ISLE-D'ESPAGNAC
IMPRESSION : CPI BRODARD ET TAUPIN À LA FLÈCHE
DÉPÔT LÉGAL : JANVIER 2015. N° 122617 (3008046)
IMPRIMÉ EN FRANCE

DU MÊME AUTEUR

Mon Maroc
*Séguier, 2000*

Le Rouge du tarbouche
*Séguier, 2004*
*et « Points », n° P2797*

L'Armée du salut
*Seuil, 2006*
*et « Points », n° P1880*

Maroc : 1900-1960
Un certain regard
*(en collaboration avec Frédéric Mitterrand)*
*Actes Sud, 2007*

Une mélancolie arabe
*Seuil, 2008*
*et « Points », n° P2521*

Lettres à un jeune Marocain
*(choisies et présentées par Abdellah Taïa)*
*Seuil, 2009*

Le Jour du roi
*prix de Flore*
*Seuil, 2010*
*et « Points », n° P2666*

Un pays pour mourir
*Seuil, 2015*

# Éditions Points

DERNIERS TITRES PARUS

P3229. Au fond de ton cœur, *Torsten Pettersson*
P3230. Je vais passer pour un vieux con. Et autres petites phrases qui en disent long, *Philippe Delerm*
P3231. Chienne de langue française ! Répertoire tendrement agacé des bizarreries du français, *Fabian Bouleau*
P3232. 24 jours, *Ruth Halimi et Émilie Frèche*
P3233. Aventures en Guyane. Journal d'un explorateur disparu *Raymond Maufrais*
P3234. Une belle saloperie, *Robert Littell*
P3235. Fin de course, *C.J. Box*
P3236. Corbeaux. La Trilogie du Minnesota, vol. 3 *Vidar Sundstøl*
P3237. Le Temps, le temps, *Martin Suter*
P3238. Nouvelles du New Yorker, *Ann Beattie*
P3239. L'Embellie, *Audur Ava Ólafsdóttir*
P3240. Boy, *Takeshi Kitano*
P3241. L'Enfance des criminels, *Agnès Grossmann*
P3242. Police scientifique : la révolution. Les vrais experts parlent, *Jacques Pradel*
P3243. Femmes serials killers. Pourquoi les femmes tuent ?, *Peter Vronsky*
P3244. L'Histoire interdite. Révélations sur l'Histoire de France, *Franck Ferrand*
P3245. De l'art de mal s'habiller sans le savoir *Marc Beaugé (illustrations de Bob London)*
P3246. Un homme loyal, *Glenn Taylor*
P3247. Rouge de Paris, *Jean-Paul Desprat*
P3248. Parmi les disparus, *Dan Chaon*
P3249. Le Mystérieux Mr Kidder, *Joyce Carol Oates*
P3250. Poèmes de poilus. Anthologie de poèmes français, anglais, allemands, italiens, russes (1914-1918)
P3251. Étranges Rivages, *Arnaldur Indridason*

P3252. La Grâce des brigands, *Véronique Ovaldé*
P3253. Un passé en noir et blanc, *Michiel Heyns*
P3254. Anagrammes, *Lorrie Moore*
P3255. Les Joueurs, *Stewart O'Nan*
P3256. Embrouille en Provence, *Peter Mayle*
P3257. Parce que tu me plais, *Fabien Prade*
P3258. L'Impossible Miss Ella, *Toni Jordan*
P3259. La Politique du tumulte, *François Médéline*
P3260. La Douceur de la vie, *Paulus Hochgatterer*
P3261. Niceville, *Carsten Stroud*
P3262. Les Jours de l'arc-en-ciel, *Antonio Skarmeta*
P3263. Chronic City, *Jonathan Lethem*
P3264. À moi seul bien des personnages, *John Irving*
P3265. Galaxie foot. Dictionnaire rock, historique et politique du football, *Hubert Artus*
P3266. Patients, *Grand Corps Malade*
P3267. Les Tricheurs, *Jonathan Kellerman*
P3268. Dernier refrain à Ispahan, *Naïri Nahapétian*
P3269. Jamais vue, *Alafair Burke*
P3270. Homeland. La traque, *Andrew Kaplan*
P3271. Les Mots croisés du journal « Le Monde ». 80 grilles *Philippe Dupuis*
P3272. Comment j'ai appris à lire, *Agnès Desarthe*
P3273. La Grande Embrouille, *Eduardo Mendoza*
P3274. Sauf miracle, bien sûr, *Thierry Bizot*
P3275. L'Excellence de nos aînés, *Ivy Compton-Burnett*
P3276. Le Docteur Thorne, *Anthony Trolloppe*
P3277. Le Colonel des Zouaves, *Olivier Cadiot*
P3278. Un privé à Tanger, *Emmanuel Hocquard*
P3279. Kind of blue, *Miles Corwin*
P3280. La fille qui avait de la neige dans les cheveux *Ninni Schulman*
P3281. L'Archipel du Goulag, *Alexandre Soljénitsyne*
P3282. Moi, Giuseppina Verdi, *Karine Micard*
P3283. Les oies sauvages meurent à Mexico, *Patrick Mahé*
P3284. Le Pont invisible, *Julie Orringer*
P3285. Brèves de copies de bac
P3286. Trop de bonheur, *Alice Munro*
P3287. La Parade des anges, *Jennifer Egan*
P3288. Et mes secrets aussi, *Line Renaud*
P3289. La Lettre perdue, *Martin Hirsch*
P3290. Mes vies d'aventures. L'homme de la mer Rouge *Henry de Monfreid*
P3291. Cruelle est la terre des frontières. Rencontre insolite en Extrême-Orient, *Michel Jan*

P3292. Madame George, *Noëlle Châtelet*
P3293. Contrecoup, *Rachel Cusk*
P3294. L'Homme de Verdigi, *Patrice Franceschi*
P3295. Sept pépins de grenade, *Jane Bradley*
P3296. À qui se fier ?, *Peter Spiegelman*
P3297. Dernière conversation avec Lola Faye, *Thomas H. Cook*
P3298. Écoute-moi, Amirbar, *Àlvaro Mutis*
P3299. Fin de cycle. Autopsie d'un système corrompu *Pierre Ballester*
P3300. Canada, *Richard Ford*
P3301. Sulak, *Philippe Jaenada*
P3302. Le Garçon incassable, *Florence Seyvos*
P3303. Une enfance de Jésus, *J.M. Coetzee*
P3304. Berceuse, *Chuck Palahniuk*
P3305. L'Homme des hautes solitudes, *James Salter*
P3307. Le Pacte des vierges, *Vanessa Schneider*
P3308. Le Livre de Jonas, *Dan Chaon*
P3309. Guillaume et Nathalie, *Yanick Lahens*
P3310. Bacchus et moi, *Jay McInerney*
P3311. Plus haut que mes rêves, *Nicolas Hulot*
P3312. Cela devient cher d'être pauvre, *Martin Hirsch*
P3313. Sarkozy-Kadhafi. Histoire secrète d'une trahison *Catherine Graciet*
P3314. Le monde comme il me parle, *Olivier de Kersauson*
P3315. Techno Bobo, *Dominique Sylvain*
P3316. Première station avant l'abattoir, *Romain Slocombe*
P3317. Bien mal acquis, *Yrsa Sigurdardottir*
P3318. J'ai voulu oublier ce jour, *Laura Lippman*
P3319. La Fin du vandalisme, *Tom Drury*
P3320. Des femmes disparaissent, *Christian Garcin*
P3321. La Lucarne, *José Saramago*
P3322. Chansons. L'intégrale 1 (1967-1980), *Lou Reed*
P3323. Chansons. L'intégrale 2 (1982-2000), *Lou Reed*
P3324. Le Dictionnaire de Lemprière, *Lawrence Norfolk*
P3325. Le Divan de Staline, *Jean-Daniel Baltassat*
P3326. La Confrérie des moines volants, *Metin Arditi*
P3327. L'Échange des princesses, *Chantal Thomas*
P3328. Le Dernier Arbre, *Tim Gautreaux*
P3329. Le Cœur par effraction, *James Meek*
P3330. Le Justicier d'Athènes, *Petros Markaris*
P3331. La Solitude du manager, *Manuel Vázquez Montalbán*
P3332. Scènes de la vie d'acteur, *Denis Podalydès*
P3333. La vérité sort souvent de la bouche des enfants *Geneviève de la Bretesche*
P3334. Crazy Cock, *Henry Miller*

P3335. Soifs, *Marie-Claire Blais*
P3336. L'Œuvre de Dieu, la part du Diable, *John Irving*
P3337. Des voleurs comme nous, *Edward Anderson*
P3338. Nu dans le jardin d'Éden, *Harry Crews*
P3339. Une vérité si délicate, *John le Carré*
P3340. Le Corps humain, *Paolo Giordano*
P3341. Les Saisons de Louveplaine, *Cloé Korman*
P3342. Sept femmes, *Lydie Salvayre*
P3343. Les Remèdes du docteur Irabu, *Hideo Okuda*
P3344. Le Dernier Seigneur de Marsad, *Charif Majdalani*
P3345. Primo, *Maryline Desbiolles*
P3346. La plus belle histoire des femmes
*Françoise Héritier, Michelle Perrot, Sylviane Agacinski, Nicole Bacharan*
P3347. Le Bidule de Dieu. Une histoire du pénis
*Tom Hickman*
P3348. Le Grand Café des brèves de comptoir
*Jean-Marie Gourio*
P3349. 7 jours, *Deon Meyer*
P3350. Homme sans chien, *Håkan Nesser*
P3351. Dernier verre à Manhattan, *Don Winslow*
P3352. Mudwoman, *Joyce Carol Oates*
P3353. Panique, *Lydia Flem*
P3354. Mémoire de ma mémoire, *Gérard Chaliand*
P3355. Le Tango de la Vieille Garde, *Arturo Pérez-Reverte*
P3356. Blitz et autres histoires, *Esther Kreitman*
P3357. Un paradis trompeur, *Henning Mankell*
P3358. Aventurier des glaces, *Nicolas Dubreuil*
P3359. Made in Germany. Le modèle allemand au-delà des mythes, *Guillaume Duval*
P3360. Taxi Driver, *Richard Elman*
P3361. Le Voyage de G. Mastorna, *Federico Fellini*
P3362. 5e avenue, 5 heures du matin, *Sam Wasson*
P3363. Manhattan Folk Story, *Dave Van Ronk, Elijah Wald*
P3364. Sorti de rien, *Irène Frain*
P3365. Idiopathie. Un roman d'amour, de narcissisme et de vaches en souffrance, *Sam Byers*
P3366. Le Bois du rossignol, *Stella Gibbons*
P3367. Les Femmes de ses fils, *Joanna Trollope*
P3368. Bruce, *Peter Ames Carlin*
P3369. Oxymore, mon amour ! Dictionnaire inattendu de la langue française, *Jean-Loup Chiflet*
P3371. Coquelicot, et autres mots que j'aime, *Anne Sylvestre*
P3372. Les Proverbes de nos grands-mères, *Daniel Lacotte (illustrations de Virginie Berthemet)*

P3373. La Tête ailleurs, *Nicolas Bedos*
P3374. Mon parrain de Brooklyn, *Hesh Kestin*
P3375. Le Livre rouge de Jack l'éventreur, *Stéphane Bourgoin*
P3376. Disparition d'une femme. L'affaire Viguier
*Stéphane Durand-Souffland*
P3377. Affaire Dils-Heaulme. La contre-enquête
*Emmanuel Charlot, avec Vincent Rothenburger*
P3378. Faire la paix avec soi. 365 méditations quotidiennes
*Etty Hillesum*
P3379. L'amour sauvera le monde, *Michael Lonsdale*
P3380. Le Jardinier de Tibhirine
*Jean-Marie Lassausse, avec Christophe Henning*
P3381. Petite philosophie des mandalas. Méditation
sur la beauté du monde, *Fabrice Midal*
P3382. Le bonheur est en vous, *Marcelle Auclair*
P3383. Divine Blessure. Faut-il guérir de tout ?
*Jacqueline Kelen*
P3384. La Persécution. Un anthologie (1954-1970)
*Pier Paolo Pasolini*
P3386. Les Immortelles, *Makenzy Orcel*
P3387. La Cravate, *Milena Michiko Flašar*
P3388. Le Livre du roi, *Arnaldur Indridason*
P3389. Piégés dans le Yellowstone, *C.J. Box*
P3390. On the Brinks, *Sam Millar*
P3391. Qu'est-ce que vous voulez voir ?, *Raymond Carver*
P3392. La Confiture d'abricots. Et autres récits
*Alexandre Soljénitsyne*
P3393. La Condition numérique
*Bruno Patino, Jean-François Fogel*
P3394. Le Sourire de Mandela, *John Carlin*
P3395. Au pied du mur, *Elisabeth Sanxay Holding*
P3396. Nous cheminons entourés de fantômes aux fronts troués
*Jean-François Vilar*
P3397. Fun Home, *Alison Bechdel*
P3398. L'homme qui aimait les chiens, *Leonardo Padura*
P3399. Deux veuves pour un testament, *Donna Leon*
P4000. Sans faille, *Valentin Musso*
P4001. Dexter fait son cinéma, *Jeff Lindsay*
P4002. Incision, *Marc Raabe*
P4003. Mon ami Dahmer, *Derf Backderf*
P4004. Terminus Belz, *Emmanuel Grand*
P4005. Les Anges aquatiques, *Mons Kallentoft*
P4006. Strad, *Dominique Sylvain*
P4007. Les Chiens de Belfast, *Sam Millar*
P4008. Marée d'équinoxe, *Cilla et Rolf Börjlind*

P4009. L'Étrange Destin de Katherine Carr, *Thomas H. Cook*
P4010. Les Secrets de Bent Road, *Lori Roy*
P4011. Journal d'une fille de Harlem, *Julius Horwitz*
P4012. Pietra viva, *Léonor de Récondo*
P4013. L'Égaré de Lisbonne, *Bruno d'Halluin*
P4014. Le Héron de Guernica, *Antoine Choplin*
P4015. Les Vies parallèles de Greta Wells, *Andrew Sean Greer*
P4016. Tant que battra mon cœur, *Charles Aznavour*
P4017. J'ai osé Dieu, *Michel Delpech*
P4018. La Ballade de Rikers Island, *Régis Jauffret*
P4019. Le Pays du lieutenant Schreiber, *Andreï Makine*
P4020. Infidèles, *Abdellah Taïa*
P4021. Les Fidélités, *Diane Brasseur*
P4022. Le Défilé des vanités, *Cécile Sepulchre*
P4023. Tomates, *Nathalie Quintane*
P4024. Songes de Mevlido, *Antoine Volodine*
P4025. Une terre d'ombre, *Ron Rash*
P4026. Bison, *Patrick Grainville*
P4027. Dire non, *Edwy Plenel*
P4028. Le Jardin de l'aveugle, *Nadeem Aslam*
P4029. Chers voisins, *John Lanchester*
P4030. Le Piéton de Hollywood, *Will Self*
P4031. Dictionnaire d'anti-citations. Pour vivre très con et très heureux, *Franz-Olivier Giesbert*
P4032. 99 Mots et Expressions à foutre à la poubelle *Jean-Loup Chiflet*
P4033. Jésus, un regard d'amour, *Guy Gilbert*
P4034. Anna et mister God, *Fynn*
P4035. Le Point de rupture, *Marie-Lise Labonté*
P4036. La Maison des feuilles, *Mark Z. Danielewski*
P4037. Prairie, *James Galvin*
P4038. Le Mal napoléonien, *Lionel Jospin*
P4039. Trois vies de saints, *Eduardo Mendoza*
P4040. Le Bruit de tes pas, *Valentina D'Urbano*
P4041. Clipperton. L'Atoll du bout du monde *Jean-Louis Étienne*
P4042. Banquise, *Paul-Émile Victor*
P4043. La Lettre à Helga, *Bergsveinn Birgisson*
P4044. La Passion, *Jeanette Winterson*
P4045. L'Eau à la bouche, *José Manuel Fajardo*
P4046. Première Personne du singulier, *Patrice Franceschi*
P4047. Ma mauvaise réputation, *Mourad Boudjellal*
P4048. La Clandestine du voyage de Bougainville *Michèle Kahn*
P4049. L'Italienne, *Adriana Trigiani*